人文阅读与收藏·良友文学丛书

舒乙题

原丛书主编：赵家璧

特邀顾问：舒　乙　赵修慧　赵修义　赵修礼　于润琦

出 品 人：马连弟
监　　制：李晓琤
执　　行：张娟平
统　　筹：吴　晞　姚　兰
装帧设计：赵泽阳

特别鸣谢（按姓氏笔画排列）：
韦　韬　叶永和　李小林　沈龙朱　陈小滢　杨子耘
张　章　周　雯　周吉仲　舒　乙　蒋祖林　施　莲
姚　昕　俞昌实　钟　蕻　郑延顺　赵修慧
以及在版权联系过程中尚未联系到的作者或家属

特别鸣谢：
上海鲁迅纪念馆
北京鲁迅博物馆
北京大学中国语言文学系
复旦大学中国语言文学系
中国作家协会权益保障委员会

人文阅读与收藏·良友文学丛书

新与旧

沈从文 著

中国国际广播出版社

良友版《新与旧》精装本封面

良友版《新与旧》精装本护封

良友版《新与旧》编号页

良友版《新与旧》扉页

良友版《新与旧》版权页和目录页

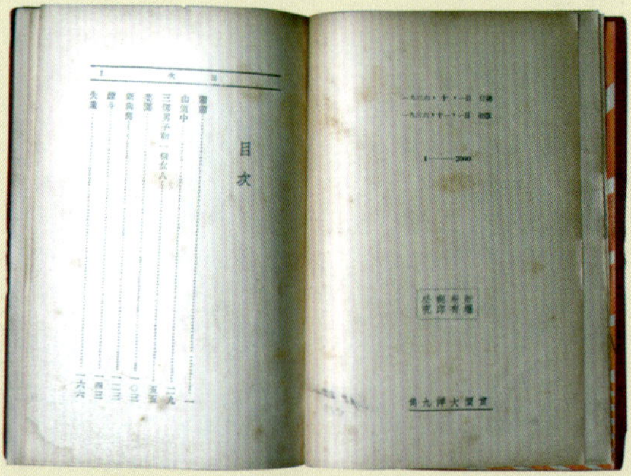

良友版《新与旧》内文

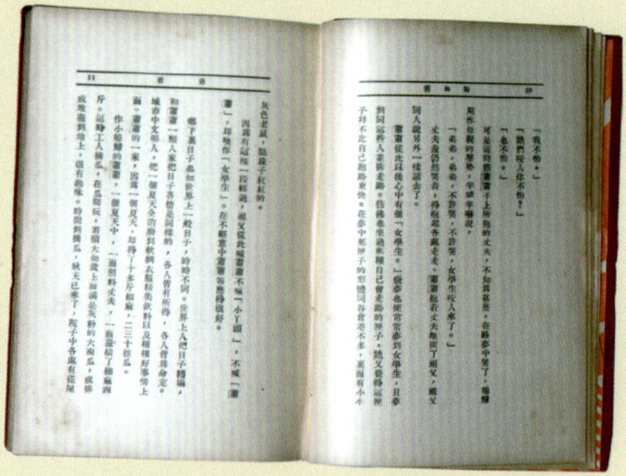

《良友文学丛书》新版出版说明

二十世纪三四十年代，著名编辑赵家璧在上海良友图书公司老板伍联德的支持下，历经十余年，陆续出版《良友文学丛书》，计四十余种。其中三十九种在上海出版，各书循序编号，后出几种则无。该套丛书以收入当时左翼及进步作家的作品为主，也选入其他各派作家作品。其中小说居多，兼及散文和文艺论著；第一号是鲁迅的译作《竖琴》。丛书一律软布面精装（亦有平装普及本），外加彩印封套，书页选用米色道林纸，售价均为大洋九角。

《良友文学丛书》选目精良，在现在看来，皆为名家名作；布面精装的装帧更是被许多爱书人誉为“有型有款”。不可否认，在装帧设计日益进步的当下，这套出版于二十世纪三四十年代的丛书外形已难称书中翘楚，但因岁月洗汰，人为毁弃，这套曾在出版史上一度“金碧辉煌”过的丛书首版已然成为新文学极其珍贵的稀见“善本”。

在《良友文学丛书》首版八十周年之际，为满足现代普通读者和图书馆对该丛书阅读与收藏的需求，我们依据《良友文学丛书》旧版进行再版（四种特大本不在其列）。本着尊重旧版原貌的原则，仅对旧版中失校之处予以订正。新版《良友文学丛书》采用简体横排的形式，以旧版书影做插图，装帧力求保持旧版风格，又满足当下读者的审美趣味。希望这一出版活动对缅怀中国出版前辈们的历史功绩和传承中国文化有所裨益，也希望广大读者多提宝贵意见和建议，以便我们把日后的工作做得更好。

《良友文学丛书》新版校订说明

一、本丛书收录原良友图书公司编辑赵家璧主编《良友文学丛书》共四十六种（四种特大本不在其列），乃为目前发现且确系良友版之全部。

二、此番印行各书，均选择《良友文学丛书》旧版作为底本，编辑内容等一律保持原貌，未予改窜删削。

三、所做校订工作，限于以下各项：

（1）将繁体字改为简体字；

（2）原作注释完全保留；

（3）尽量搜求多种印本等资料进行校勘，并对显系排印失校者在编辑中酌予订正；

（4）前后字词用法不一致处，一般不做统一纠正；

（5）给正文中提到的书籍和文章及其他作品标上书名号，原作书名写法不规范、不便添加符号者，容有空缺；

（6）书名号以外其他标点符号用法，多依从作者习惯，除个别明显排印有误者外均未予改动。

目　次

萧　萧

乡下人吹唢哪接媳妇，到了十二月是成天有的事情。

唢哪后面一顶花轿，四个伕子平平稳稳的抬着，轿中人被铜锁锁在里面，虽穿了平时不上过身的体面红绿衣裳，也仍然得荷荷大哭。在这些小女人心中，做新娘子，从母亲身边离开，且准备作他人的母亲，从此将有许多新事情等待发生。像做梦一样，将同一个陌生男子汉在一个床上睡觉，做着承宗接祖的事情，当然十分害怕，所以照例觉得要哭，就哭了。

也有做媳妇不哭的人。萧萧做媳妇就不哭。这女人没有母亲，从小寄养到伯父种田的庄子上，出嫁只是从这家转到那家。因此到那一天这女人还只是笑。她又不害羞，又不怕，她是什么事也不知道，就做了人家的媳妇了。

萧萧做媳妇时年纪十二岁，有一个小丈夫，年纪三岁。丈夫比她年少九岁，还在吃奶。地方规矩如此，过了门，她喊他做弟弟。她每天应作的事是抱弟弟到村前柳树下去玩，饿了，喂东西吃，哭了，就哄他，摘南瓜花或狗尾草戴到小丈夫头上，或者亲嘴，一面说，“弟弟，哪，啅。再来，啅。”在那满是肮脏的小脸上亲了又亲，孩子于是便笑了。孩子一欢喜，会用短短的小手乱抓萧萧的头发。那是平时不大能收拾蓬蓬松松到头上的黄发。有时垂到脑后一条有红绒绳作结的小辫儿被拉，生气了，就挞那弟弟，弟弟自然哇的哭出声来，萧萧便也装成要哭的样子，用手指着弟弟的哭脸，说，“哪，不讲理，这可不行!”

天晴落雨日子混下去，每日抱抱丈夫，也时常到溪沟里去洗衣，搓尿片，一面还检拾有花纹的田螺给坐到身边的丈夫玩。到了夜里睡觉，便常常做世界上人所做过的梦，梦到后门角落或别的什么地方检得大把大把铜钱，吃好东西，爬树，自己变成鱼到水中溜扒，或一时仿佛很小很轻，身子飞到天上众星中，没有一个人，只是一片白，一片金光，于是大喊“妈!”人醒了。醒来心还只是跳。吵了隔壁的人，就骂着，“疯子，你想什么!”却不作声只是咕咕笑着。也有很好很爽快的梦，为丈夫哭醒的事。那丈夫本来晚上在自己母亲身边睡，吃奶方便，但是吃多了奶，或因另外情形，半夜大哭，起来放水拉稀是常有的事。丈夫哭到婆婆不能处置，于是萧萧轻脚轻手爬起来，眼屎蒙眬，走到床边，把人抱起，给他看灯光，看星光。或者仍然啤啤的亲嘴，互相觑着，孩子气的“嗨嗨，看猫呵，”那样喊着哄着。于是丈夫笑了。慢慢的阖上眼。人睡了，放上床，站在床边看着，听远处一传一递的鸡叫，知道天快到什么时候了。于是仍然蜷到小床上睡去。天亮了，虽不做梦，却可以无意中闭眼开眼，看一阵空中黄金颜色变幻无端的葵花。

萧萧嫁过了门，做了拳头大丈夫的媳妇，一切并不比先前受苦，这只看她半年来身体发育就可明白。风里雨里过日子，像一株长在园角落不为人注意的蓖麻，大叶大枝，日增茂盛。这小女人简直是全不为丈夫设想那么似的长大起来了。

夏夜光景说来如做梦。坐到院心，挥摇蒲扇，看天上的星同屋角的萤，听南瓜棚上纺织娘子咯咯咯拖长声音纺车，禾花风悠悠吹到脸上，正是让人在自己方便中说笑话的时候。

萧萧好高，一个人常常爬到草料堆上去，抱了已经熟睡的丈夫在怀里，轻轻的轻轻的随意唱着那使自己也快要睡去的歌。

在院中，公公婆婆，祖父祖母，另外还有帮工汉子两个，散乱的坐，小板凳无一作空。

祖父身边有烟包，在黑暗中放光。这用艾蒿作成的长火绳，是驱逐长脚蚊东西，蜷在祖父脚边，就如一条黑色长蛇。

想起白天场上的事，那祖父开口说话，

“听三金说前天有女学生过身。”

大家就哄然笑了。

这笑的意义何在？只因为大家都知道女学生没有辫子，像个尼姑，穿的衣服又像洋人，吃的，用的，……总而言之一想起来就觉得怪可笑！

萧萧不大明白，她不笑。所以祖父又说话了。他说：

“萧萧，你将来也会做女学生！”

大家于是更哄然大笑起来。

萧萧为人并不愚蠢，觉得这一定是不利于己的一件事情了，所以接口便说：

“我不做女学生！”

“不做可不行。”

“我不做。”

众口一声的说：“非做女学生不行！”

女学生这东西，在本乡的确永远是奇闻。每年热天，据说放“水”假日子一到，便有三三五五女学生，由一个荒谬不经的热闹地方来，到另一个远地方去，取道从本地过身，从乡下人眼中看来，这些人皆近于另一世界中活下的人，装扮如怪如神，行为也不可思议。这种人过身时，使一村人皆可以说一整天的笑话。

祖父是当地人物，因为想起所知道的女学生在大城中的生活情形，所以说笑话要萧萧也去作女学生。一面听到这话就感觉一种打哈哈趣味，一面还有那被说的萧萧感觉一种惶恐，说这话的不为无意义了。

女学生由祖父方面所知道的是这样一种人：她们穿衣服不管天气冷暖，吃东西不问饥饱，晚上交到子时才睡觉，白天正经事全不作，只知唱歌打球，读洋书。她们一年用的钱可以买十六双水牛。她们在省里京里想往什么地方去时，不必走路，只要钻进一个大匣子中，那匣子就可以带她到地。她们在学校，男女一处上课，人熟了，就随意同那男子睡觉，也不要媒人，也不要财礼，名叫“自由”。她们也做官；做县官，带家眷上任，男子仍然喊作老爷，小孩子叫少爷。她们自己不养牛，却吃牛奶羊奶，如小牛小羊，买那奶时是用铁罐子盛的。她们无事时到一个唱戏地方去，那地方完全像个大庙，从衣袋中取出一块洋钱来，（那洋钱在乡下可买五只母鸡，）买了一小方纸片儿，拿了那纸片到里面去，就可以坐下看洋人扮演影子戏。她们被冤了，不赌咒，不哭。她们年纪有老到二十四岁还不肯嫁人的，有老到三十四五还好意思嫁人的。她们不怕男子，男子不能使她们受委屈，一受委屈就上衙门打官司，要官罚男子的款，这笔钱她可以同官平分。她们不洗衣煮饭，有了小孩子也只化五块钱或十块钱一月，雇人专管小孩，自己仍然整天看戏打牌。……

总而言之，说来都希奇古怪，岂有此理。这时经祖父一为说明，听过这话的萧萧，心中却忽然有了一种模模糊糊的愿望，以为倘若她也是个女学生，她是不是照祖父说的女学生一个样子去做那些事？不管好歹，做女学生极有趣味，因此一来却已为这乡下姑娘体念到了。

因为听祖父说起女学生是怎样的人物，到后萧萧独自笑得特别久。笑够了时，她说，

"祖爹，明天有女学生过路，你喊我，我要看。"

"你看，她们捉你去作丫头。"

"我不怕她们。"

"她们读洋书你也不怕？"

"我不怕。"

"她们咬人你不怕？"

"也不怕。"

可是这时节萧萧手上所抱的丈夫，不知为甚么，在睡梦中哭了，媳妇用作母亲的声势，半哄半吓说，

"弟弟，弟弟，不许哭，不许哭，女学生咬人来了。"

丈夫还仍然哭着，得抱起各处走走。萧萧抱着丈夫离开了祖父，祖父同人说另外一样话去了。

萧萧从此以后心中有个"女学生。"做梦也便常常梦到女学生，且梦到同这些人并排走路。仿佛也坐过那种自己会走路的匣子，她又觉得这匣子并不比自己跑路

更快。在梦中那匣子的形体同谷仓差不多，里面有小小灰色老鼠，眼珠子红红的。

因为有这样一段经过，祖父从此喊萧萧不喊“小丫头”，不喊“萧萧”，却唤作“女学生”。在不经意中萧萧答应得很好。

乡下里日子也如世界上一般日子，时时不同。世界上人把日子糟塌，和萧萧一类人家把日子吝惜是同样的，各人皆有所得，各人皆为命定。城市中文明人，把一个夏天全消磨到软绸衣服精美饮料以及种种好事情上面。萧萧的一家，因为一个夏天，却得了十多斤细麻，二三十担瓜。

作小媳妇的萧萧，一个夏天中，一面照料丈夫，一面还绩了细麻四斤。这时工人摘瓜，在瓜间玩，看硕大如盆上面满是灰粉的大南瓜，成排成堆摆到地上，很有趣味。时间到摘瓜，秋天已来了，院子中各处有从屋后林子里树上吹来的大红大黄木叶。萧萧在瓜旁站定，手拿木叶一束，为丈夫编小笠帽玩。

工人中有个名叫花狗，抱了萧萧的丈夫到枣树下去打枣子。小小竹杆打在枣树上，落枣满地。

“花狗大，莫打了，太多了吃不完。”

虽这样喊，还不动身。到后，仿佛完全因为丈夫要枣子，花狗才不听话。萧萧于是又喊他那小丈夫：

“弟弟，弟弟，来，不许检了。吃多了生东西肚子痛！”

丈夫听话，兜了一堆枣子向萧萧身边走来，请萧萧吃枣子。

“姊姊吃，这是大的。”

“我不吃。”

“要吃一颗！”

她两手那里有空！木叶帽正在制边，工夫要紧，还正要个人帮忙！

“弟弟，把枣子喂我口里。”

丈夫照她的命令作事，作完了觉得有趣，哈哈大笑。

她要他放下枣子帮忙捏紧帽边，便于添加新木叶。

丈夫照她吩咐作事，但老是顽皮的摇动，口中唱歌。这孩子原来像一只猫，欢喜时就得捣乱。

“弟弟，你唱的是什么？”

“我唱花狗大告我的山歌。”

“好好的唱给我听。”

丈夫于是就唱下去，照所记到的歌唱：

天上起云云起花，
包谷林里种豆荚，
豆荚缠坏包谷树，
娇妹缠坏后生家。

天上起云云重云，
地下埋坟坟重坟，
娇妹洗碗碗重碗，
娇妹床上人重人。

丈夫唱歌中意义全不明白，唱完了就问好不好。萧萧说好，并且问从谁学来的。她知道是花狗教他的，却故意盘问他。

“花狗大告我，他说还有好歌，长大了再教我唱。”

听说花狗会唱歌，萧萧说，

“花狗大，花狗大，您唱一个歌我听听。”

那花狗，面如其心，生长得不很正气，知到萧萧要听歌，人也快到听歌的年龄了，就给她唱“十岁娘子一岁夫。”那故事说的是妻年大，可以随便到外面作一点不规矩事情，夫年小，只知道吃奶，让他吃奶。这歌丈夫完全不懂，懂到一点儿的是萧萧。把歌听过后，萧萧装成“我全明白”那种神气，她用生气的样子，对花狗说，

“花狗大，这个不行，这是骂人的歌！”

花狗分辩说，“不是骂人的歌。”

“我明白，是骂人的歌。”

花狗难得说多话，歌已经唱过了，错了陪礼，只有不再唱。他看她已经有点懂事了，怕她回头告祖父，就

把话支开，扯到“女学生”。他问萧萧，看不看过女学生习体操唱洋歌的事情。

若不是花狗提起，萧萧几乎已忘却了这事情。这时又提到女学生，她问花狗近来有不有女学生过路。

花狗一面把南瓜从棚架边抱到墙角去，告她女学生唱歌的事，这些事的来源就是萧萧的那个祖父。他在萧萧面前说了点大话，说他曾经到官路上见到四个女学生，她们都拿得有旗帜，走长路流汗喘气之中仍然唱歌，同军人所唱的一模一样。不消说，这完全是笑话。可是那故事把萧萧可乐坏了。

花狗是会说会笑的一个人。听萧萧带着歆羡口气说，“花狗大，你膀子真大。”他就说，“我不止膀子大。”

“你身个子也大。”

“我全身无处不大。”

到萧萧抱了她的丈夫走去以后，同花狗在一起摘瓜，取名字叫哑叭的，开了平时不常开的口。他说，

“花狗，你少坏点。人家是黄花女，还要等十二年才圆房!”

花狗不做声，打了那伙计一掌，走到枣树下检落地枣去了。

到摘瓜的秋天，日子计算起来，萧萧过丈夫家有一年了。

几次降霜落雪，几次清明谷雨，都说萧萧是大人了。天保佑，喝冷水，吃粗砺饭，四季无疾病，倒发育得这样快。婆婆虽生来像一把剪，把凡是给萧萧暴长的机会都剪去了，但乡下的日头同空气都帮助人长大，却不是折磨可以阻拦得住。

萧萧十四岁时高如成人，心却还是一颗糊糊涂涂的心。

人大了一点，家中做的事也多了一点。绩麻纺车洗衣照料丈夫以外，打猪草推磨一些事情也要作。还有浆纱织布：两三年来所聚集的粗细麻和纺就的纱，已够萧萧坐到土机上抛三个月的梭子了。

丈夫已断了奶。婆婆有了新儿子，这五岁儿子就像归萧萧独有了。不论做什么，走到什么地方去，丈夫总跟到身边。丈夫有些方面很怕她，当她如母亲，不敢多事。他们俩“感情不坏”。

地方稍稍进步，祖父的笑话转到“萧萧你也把辫子剪去”那一类事上去了。听着这话的萧萧，某个夏天也看过一次女学生了，虽不把祖父笑话认真，可是每一次在祖父说过这笑话以后，她到水边去，必用手捏着辫子末梢，设想没有辫子的人那种神气，那点趣味。

因为打猪草，带丈夫上螺蛳山的山阴是常有的事。

小孩子不知事，听别人唱歌也唱歌。一唱歌，就把花狗引来了。

花狗对萧萧生了另外一种心，萧萧有点明白了，常常觉得惶恐。但花狗是男子，凡是男子的美德恶德皆不缺少，所以一面使萧萧的丈夫非常欢喜同他玩，一面一有机会即缠在萧萧身边，且总是想方设法把萧萧那点惶恐减去。

山大人小，平时不知道萧萧所在，花狗就站在高处唱歌逗萧萧身边的丈夫，丈夫小口一开，花狗穿山越岭就来到萧萧面前了。

见了花狗，小孩子只有欢喜，不知其他。他原要花狗为他编草虫玩，做竹箫哨子玩，花狗想方法支使他到一个远处去，便坐到萧萧身边来，要萧萧听他唱那使人红脸的歌。她有时觉得害怕，不许丈夫走开；有时又像有了花狗在身边，打发丈夫走去也好一点。终于有一天，萧萧就给花狗变成了妇人了。

那时节，丈夫走到山下采刺莓去了，花狗唱了许多歌，到后却向萧萧说，我想了你二三年。他又说，我为你睡不着觉。他又说，我赌咒不把这事情告给人。听了这些话仍然不懂什么的萧萧，眼睛只注意到他那一对膀子，耳朵只注意到他最后一句话。末了花狗大便又唱歌给她听，她心里乱了。她要他当真对天赌咒，赌了咒，一切好像有了保障，她就一切尽他了。到丈夫返身时，手被毛毛虫螫伤，肿了一片，走到萧萧身边，萧萧捏紧这一只小手，且用口去呵它，吮它，想起刚才的糊涂，才仿佛明白作了一点胡涂事。

花狗诱她做坏事情是麦黄四月，到六月，李子熟了，她欢喜吃生李子。她觉得身体有点特别，碰到花狗，就将这事情告给他，问他怎么办。

讨论了多久，花狗全无主意。虽以前自己当天赌得有咒，也仍然无主意。这家伙个子大，胆量小，个子大容易做错事，胆量小做了错事就想不出办法。

到后，萧萧捏着自己那条辫子，想起城里了，她说，

"花狗，我们到城里去过日子，不好么？"

"那怎么行？到城里去做什么？"

"我肚子大了。"

"我们找药去。"

"我想……"

"你想逃？"

"我想逃吗？我想死！"

"我赌咒不辜负你。"

"负不负我有什么用，帮我个忙，拿去肚子里这块肉罢。我害怕！"

花狗不再做声，过了一会，便走开了。不久丈夫从他处回来，见萧萧一个人坐在草地上哭，眼睛红红的，丈夫心中纳罕。看了一会，问萧萧：

"姊姊，为甚么哭？"

"不为甚么，灰尘落到眼睛里，痛。"

“你瞧我，得这些这些。”

他把从溪中检来的小蚌小石头陈列萧萧面前，萧萧用泪眼看了一会，笑着说，“弟弟，我们要好，我哭你莫告家中。”到后这事情家中当真就无人知道。

第二天，花狗不辞而行，把自己所有的衣裤都拿去了。祖父问同住的哑叭知不知道他为什么走路，走那儿去。哑叭只是摇头，说，花狗还欠了他两百钱，临走时话都不留一句，为人少良心。哑叭说他自己的话，并没有把花狗走的理由说明，因此这一家希奇一整天，谈论一整天。不过这工人既不偷走物件，又不拐带别的，这事过后不久自然也就把他忘了。

萧萧仍然是往日的萧萧。她能够忘记花狗，就好了。但是肚子真有些不同了，肚中东西使她常常一个人干发急，尽做怪梦。

她脾气似乎坏了一点，这坏处只有丈夫知道，因为她对丈夫似乎严厉苛刻了好些。

仍然每天同丈夫在一处，她的心，想到的事自己也不十分明白。她常想，我现在死了，什么都好了。可是为什么要死？她还很高兴活下去，愿意活下去。

家中人不拘谁在无意中提起关于丈夫弟弟的话，提起小孩子，提起花狗，都像使这话如拳头，在萧萧胸口上重重一击。

到八月，她担心人知道更多了，引丈夫庙里去玩，就私自许愿，吃了一大把香灰。吃香灰时被她丈夫见到了，丈夫说这是做甚么事，萧萧就说这是肚痛，应当吃这个。萧萧自然说谎。虽说求菩萨保佑，菩萨当然没有如她的希望，肚子中长大的东西仍在慢慢的长大。

她又常常往溪里去喝冷水，给丈夫见到了，丈夫问她她就说口渴。

一切她所想到的方法都没有能够使她与自己不欢喜的东西分开。大肚子只有丈夫一人知道，他却不敢告这件事给父母晓得。因为时间长久，年龄不同，丈夫有些时候对于萧萧的怕同爱，比对于父母还深切。

她还记得花狗赌咒那一天里的事情，如同记着其他事情一样。到秋天，屋前屋后毛毛虫更多了，丈夫像故意折磨她一样，常常提起几个月前被毛毛虫所螫的话，使萧萧难过。她因此极恨毛毛虫，见了那小虫就想用脚去踹。

有一天，又听人说有好些女学生过路，听过这话的萧萧，睁了眼做过一阵梦，愣愣的对日头出处痴了半天。

萧萧步花狗后尘，也想逃走，收拾一点东西预备跟了女学生走的那条路上城。但没有动身，就被家里人发觉了。

家中追究这逃走的根源，才明白这个十年后预备给小丈夫生儿子继香火的萧萧肚子，已被另外一个人抢先下了种。这真是了不得的大事。一家人的平静生活为这一件事全弄乱了。生气的生气，流泪的流泪。悬梁，投水，吃毒药，诸事萧萧全想到了，年纪太小，舍不得死，却不曾做。于是祖父想出了个聪明主意，把萧萧关在房里，派两人好好看守着，请萧萧本族的人来说话，看是沉潭还是发卖？萧萧家中人要面子，就沉潭淹死，舍不得死就发卖。萧萧既只有一个伯父，在近处庄子里为人种田，去请他时先还以为是吃酒，到了才知道是这样丢脸事情，弄得这家长手足无措。

大肚子作证，什么也没有可说。伯父不忍把萧萧沉潭，萧萧当然应当嫁人作二路亲了。

这处罚好像也极其自然，照习惯受损失的是丈夫家里，然而却可以在改嫁上收回一笔钱，当作赔偿损失的数目。那伯父把这事告给了萧萧，就要走路。萧萧拉着伯父衣角不放，只是幽幽的哭，伯父摇了一会头，一句话不说，仍然走了。

没有相当的人家来要萧萧，就仍然在丈夫家中住下。这件事情既经说明白，倒又像不甚么要紧，大家反而释然了。先是小丈夫不能再同萧萧在一处，到后又仍然如月前情形，姊弟一般有说有笑的过日子了。

丈夫知道了萧萧肚子中有儿子的事情，又知道因为这样萧萧才应当嫁到远处去。但是丈夫并不愿意萧萧去，萧萧自己也不愿意去，大家全莫名其妙，像逼到要这样做，不得不做。

在等候主顾来看人，等到十二月，还没有人来。

萧萧次年二月间，坐草生了一个儿子，团头大眼，声响宏壮，大家把母子二人照料得好好的，照规矩吃蒸鸡同江米酒补血，烧纸谢神。一家人都欢喜那儿子。

生下的既是儿子，萧萧不嫁别处了。

到萧萧正式同丈夫拜堂圆房时，儿子年纪十岁，已经能看牛割草，成为家中生产者一员了。平时喊萧萧丈夫做大叔，大叔也答应，从不生气。

这儿子名叫牛儿。牛儿十二岁时也接了亲，媳妇年长六岁。媳妇年纪大，方能诸事作帮手，对家中有帮助。唢哪吹到门前时，新娘在轿中呜呜的哭着，忙坏了那个祖父，曾祖父。

这一天，萧萧抱了自己新生的月毛毛，却在屋前榆蜡树篱笆看热闹，同十年前抱丈夫一个样子。

山道中

他们是三个同乡人，从云南军队中辞了差，预备回家。

走到第八天的路，三个人的脚走成半跛了。天气很热，走了不远，一到树荫下就得坐在路旁石头上歇气，或者买甜酒米腐吃，喝一瓢卖点心人从远方用木桶担来的凉水，止了渴又即刻上路。不上路，担心“落伍。”在边省走路，是不适宜于休息的。走的全是山路！再过五天应当到贵阳了。各人巴望到贵阳。到了这地方，算是近家了。实则家去贵阳还有十三站路。总之若到了贵阳，便算得是家边了。十三站！他们已经走过八天，到贵阳还要五天，也正是十三站。

他们从云南省动身到××走了六天，其中一个伴，给烧热病攻倒，爬不起身了，于是乎三人一同在一家小旅馆中呆下来。请医生。买药。煎药。找生姜灯草作药引子。发烧的人成天胡言谵语，把药吃下去以后就呼呼的睡去，全身出汗。住了十天，感谢天，这小地方医生居然会把病人治好了。他们第二次又上了路。所谓走了八天，就是从××算起，每天一亮走起，到日头寂寞的落下山后为止，除了饮食，除了树荫下小坐，全是不能停顿的。每天走一大站，路为六十里，里是等于平常里数的三倍，名为“蛮路”的。每到天将断黑，一落店，洗脚，吃饭，倒在铺有厚草荐与硬棉絮床上去，睡眠便把人征服了。第二天，鸡叫第二声，便爬起身来，在灯下算账，套上草鞋，太阳还未露头又上了路。

他们在行路时，是沉默的。从洞边过，从溪边过，从茅屋边过，路上所见全是一种寂寞荒凉情形。茨堆上忽然一朵红花。草地里忽然满是山莓。一条行路的蛇。一只伏在路旁见人来始惊讶飞去的山鸡。一间被兵匪焚去的屋。一堆残败的泥墙。一个死尸。一群乌鸦。所见所闻使人耳目一新的很多，使人心上不安的也不少。在一条长长的寂寞的路上行走的人，原是不能有所恐怖的。执刀械拦路的贼，有毒的蛇，乘人不备从路旁扑出袭人的恶犬，盘据在山洞中的山豹，全不缺少。这些东西似乎无时不与过路人为难，然而他们全曾遇到，也全曾平安过去。

天保他们，让他们在一切灾难中得到安全。

他们沿着大道走去。在这里，所谓大道，就是每天有远行人，小商贩，牛客，纸客，送灵榇的小小队伍，联络不绝的各在路上来去的道路。在路上，能遇到灾难以外还可以遇到此辈的道路。全是在深山中，人家很少，坡是荒废的。间或有密密的树林，无人管理的菜园，破败坍毁的水磨。路上所见的本地人，几乎全是襤褛不成人形，脸上又不缺少一种阴暗如鬼的颜色。小站小村虽然沿路都有，但到行旅十人以上时，若想在小站上住下，米同盐与住处全将发生问题。

这时节他们正过一条小溪，两岸极高。溪上一条旧木桥，行人走过时便轧轧作声。傍溪山腰老树上有猴子叫喊。水流汩汩。远处的山雀飞起时朋朋振翅声音也仿佛可以听到。溪边有座灵官庙，石屋上尚悬有几条红布，庙前石条上过路人可以休息。

“我要歇歇，慢走一点。”一个走在第一年龄独小的青年说。他先过了桥，便把背上包袱卸下，坐在石条上不走了。

第二个正在过桥，“不要懒，这里不行！”然而过得桥来，仍然也停着了。

第三个像大哥，没有过桥，就留在溪南边。昂头望，望到山崖藤葛间一群的猴子了。猴子正如有所警戒呼唤着，又像在哭啼。“看，巴屁股老三！”其余两人也就昂头看那猴子。猴子是那么一群。于是他们数点那数目。七个，八个，十一个，搜索着，数点着。

“什长，过来坐坐，这里很凉快！”

“不能久坐!”

“天气早，不怕的。”

什长过桥了。背上是一个巴斗大包袱。过了桥便把包袱掷到灵官菩萨座前，且注意那神前褪了红色的小木匾。他认识字，于是念道：

“保佑行旅。宣统三年庚申吉日立。三湘长沙府郑多福率子小福盥手敬献。——呀，是个乡亲!”

听到什长的说话，坐在石条上的青年也站起了。他也念，且想爬上神龛验看那菩萨的额角间的一只竖眼，是否能移动。

“老弟，莫上去，坐一坐，我们走路。”

“三湘长沙府——这是沙头。有十五年了。他说盥手，（他认盥做盆字）什长，我们也洗一个手罢，溪里水好得很，不用盆，可以洗脸。”

第二个过桥的人，正坐在石条上整理草鞋，自言自语说，“这地方风景真好。”这时，听到年幼的同伴读“盆手，”就笑了，开口说，“庆庆，是洋磁盆是木盆?”

“不是盆字是甚么?”

他站起来了，望望匾上的字，哈哈大笑。

什长说，“读‘款’。这字同浣差不多。庆弟，你的书读到九霄云去了。”

“千字文上并不有这个字。”

“有。你记不来罢了。”

“你念我听。”

“我也记不来了。”

三人就哈哈笑着。字的出处三个退伍兵士都找不出，却找到这字的意义，“盥是洗浣，”他们将下溪洗手洗脸。庆弟先下去，绕了路，从一个坎旁到了溪中，一面用手试水，一面喊。

“什长，什长，水冷得很，可以做凉粉！”

“快洗罢，要走路！”

“我想洗洗脚。”

“莫洗脚，山水洗不得脚，会生病的！”

“还有小鱼！多得很；一只，二只，七只，……”

“快一点！我们要走路，太晚了不行！”

“有鱼咧。有小螃蟹。真多。莫非是灵官的水兵？看它们成队玩！”

“上来罢，水舀一碗上来。把帕子打湿。我们不下溪了。”

“下来看看罢，好玩的。”

“庆庆你不上来，我们就先走了。”

“那我就不上来了，坐到水里等你们回来。这里好玩。多凉。有花石子！”

“你不上来当真我们走了的，你太不行了，这不是玩的地方。”什长的话有点威风，就因为他是一个什长。

年青人，天真烂漫的，一手拿着那个洋磁碗，一手折得一枝开成一串的紫色山花，上到路边了。把水给年长的什长喝，又把湿面巾送给另一同伴。他自己就把花插在包袱上面，样子很快乐，似乎舍不得那水中的小鱼小蟹，还走到桥边向下望。

“什长，下面水是镜子。有人刻得有字在石头上。瞧，是篆子！”

话说得很多，什长不理，另一伙计心被说动了，也赶过桥边来俯瞰。

天正当午。然而在两山夹壁中，且有大的树，清风从谷中来，全不像是六月天气。若不必赶路，在石条上睡睡，真是做神仙人所享的清福了。风太凉爽，地方适宜午睡，年青的庆庆想到了的。他听远处有砍木头声音。有点疲倦，身上发松，他说：“这里好睡觉。”什长只擦脸，不做声。那一同伴又说：“什长，这里像我们乡下。”

“这里还离湖南境十七天。”

“我们到底还要走多远？”

“二十四天，二十二天，……我们已经走过小半了。”

“今天到落店时应当喝一杯。几天不喝酒，走路也无脚劲。”

“到贵州省我们可以上馆子，我的钱还够请你们吃那里的烧鸡！”

“到贵阳要几天?”

“八天就够了。今天歇老坡寨，明天枫林场，后天……”

在他们原来的路上，四个卖棉纸的人，肩上是长大扁担，两头是成捆的薄纸，来到对溪。他们因为见到庙前有人休息，所以过了桥，把肩上的东西用竖架撑起，各人也休息下来。各人用围在腰边的布片抹脸上身上的汗，各用头上的细篾遮阳扇凉。他们不互相交言，沉默的望了望几个原来休息的也是走远路的人，便放下担子不顾，各走到溪中洗脸吃水去了。

庆弟同什长说话，“什长，这些人也是到贵阳吗?”

“全是同路。”

“他们为什么那么远去卖纸，这纸值什么钱。”

“他们不一定靠卖纸。他们褡裢里有银子。顺便挑一担纸压压肩，预备下去办货，回头就赚钱了。”

“不怕抢?”

“他们褡裢里有银子，身边有刀子，性命是同银子在一块儿的!”

“今天来往的人多，你瞧，又来两个了。”

那两个人也过桥了。同他们一样，一种老营伍中人的精神，遮阳草鞋皆极其精致整洁，背上的白色包袱虽小却很沉重，腰下挂刀，像赶差事。匆匆的过了桥，来到庙前，其中一个白脸的，见歇憩人多，就口上打唿哨，主张歇歇。另一个黑脸的，虽然停着，却露出迟疑不定的神气。

“让我喝一口烟，讨个火，大哥。”

那黑脸大哥不作声，走过灵官神座前，看那木匾。即刻且坐到那高神座上休息了。白脸人就很和气的走过来，问什长讨自来火。

“哥，能不能借一个火？”

“对不起。我们全不吃烟。”

“对不起。……是到贵阳么？”

“还远的，贵阳是一半路。从昆明来。”

“啊呀呀！小朋友也走这样的长路？”

那下溪洗脚的生意人，有一个从溪边爬上坎了，口中正含着一枝旱烟管，人口中冒烟，烟斗口中也冒烟。白色的烟被风所刮，奔飞的散去，白脸汉子又到那人身边去，“朋友，把你火镰借用一下。”那生意人取下火镰同竹管中纸煤，白脸汉子便以身背风取火，把卷烟吸燃，且递给黑脸汉子。

黑脸汉子也望到山上的猴子了，作声吓猴子，长长的声音，在谷中回应多久，猴子援枝向背僻处隐了。那大汉子似乎因为那空谷回声感生了趣味，又发着长啸，到吸烟时为止。

他们自己在说话：

黑脸说，“今天是甚么时候了？”

白脸说，“刚才不久听到有鸡叫。日头当天，影子已圆，午时了。”

黑脸又说，“近来路上清吉，来往人多，比去年强得远。”

白脸又说，“我四年前八月间从此过身，跟随团长，有八个兵士。那时八个兵士有枪，还胆怯！”

……“近来不怕了。”

……“三月间剿过一次，杀了四百多人，洗了三个村子。”

……“甚么人带的兵？”

……“听说是王营长，游击队的，一共带四连人，打了个五六天，毁了三个堡子，他妈连鸡犬也不留他一个。”

……“地方太苦了。剿一次，地方也更荒凉了。”

……

几个做生意人全从溪下爬上来，各人扭着那湿布巾且向空气中抖着，慢慢的系它在腰边，又慢慢的从腰边取下火镰，旱烟具，预备吃烟。

庆庆坐在石条上打哈欠，只想睡觉。

什长看看这不成。把包袱背好。“走，不许停！”

“我想睡。”庆庆真想用包袱作枕头倒下去，躺个四平八稳。

“不行。庆弟，你不走我们就走了。”

“我们同纸客一路走，好歹是一路落站。”

什长不再说话，先走了。继着把包袱背好，也动身了的是另一同伴。余下年青人同那包袱，他无办法，一面叫“等到等到，”一面也站起身来，匆匆把包袱背好，赶上前去了。

他们上了道。几个纸客就坐在那石条上吸烟。军官模样之一的白脸汉子，也下到溪边洗面巾了。追上前去的年青人，略显得踉跄，一面同前面的旅伴说话一面赶路。

“什长，等等，天气早哩。”

“早到一点就可以得到好住处。”

“你说我们应当换草鞋不应当？我们草鞋全坏了。那苗婆娘骗人，我们上了当。草鞋咬我的脚跟，不换换我走不动了。我们应当多出点钱，买好货物。伙计，你为甚么这样忙？你跌了，掉到溪中可不是玩。水极冷，很深，你不能泅。有蛇，你瞧，一条花蛇在水面溜哩。多快呀。什长哥，当真的事，蛇在水上！”

说着。走着。什长把脚步放慢，让年青人追及了。他退开一点，让年青人先走，自己跟在后面上路。什长略略生气的说道：

“庆弟，应当勇敢点。前路还远。今天应当早早赶到站口。你不要丢高坳地方人的大丑。吃得，饿得，走得，干得，挨冷挨热得，这是高坳人口号。”

年青人回了头，“什长，那两个黑白脸男子，是跑江湖的，是不是?”

“你走路罢。”

“我听他们说话，这路上倒像极其熟习。”路是走的，话也仍然要说。“他们说什么地方剿过，杀了四百人，恐怕就是先前走过的那村子。那样大村落，不见一个人，不见狗，不见鸡，真是怪事。为甚么杀那样多人?是四百，要许多时间才杀得完。还有小孩子，娘子，老太婆。老太婆也杀。他们说……”说着，忘了看面前的路，脚趾踢在石尖上，一个踉跄差点作了狗抢屎。

就蹲到地上揉脚。脚已出了血，扯路旁的青草嚼烂了傅上，便笑了，又傅上路旁的干土。什长迈步向前了。

“什长，慢一点。还是我打先走罢。遵照大路打先锋，不会错。”

什长有点不忍，就停着。“不许说话。好好上路!”

“嘸。”

“不许——”

“嘸。”

三人笑着，前进了。另一伙伴为年青人背了包袱。受伤的走空路。走空路，肩上轻松，在太阳下微跛的脚步，仍然走得捷速而有力。

出了山壁。回头一望已不见来处。

“什长，人多走路热闹一点，可以不疲倦。”

“你走路罢。”

“我说走路的事！一个人我是不敢走这长路的。我猜你也未必一定敢走。不怕匪，不怕老虎，来一个鬼，穿白衣白裤，有一丈高，天又快夜，这怎么办？我们过路那些破庙地方都有棺材，这些东西一到夜，不会起来找人吃吗？便说有刀，哗的把刀抽出，訇的跳过来，就咇的砍去，但是鬼对你迷迷笑，这怎么办？你喊，谁答应你？你哭，鬼也不怕。你除非会念咒，或是剑仙。什长，你说到底有剑仙没有？花蝴蝶采花，能够一纵身跳上屋顶，不闻声音。我听说北京城房子瓦上跑马也行，那是什么房子。北京有宫殿，有太监是割了……”

一面说，一面又走错了路，应当沿山下去，却走到山上小路去了。在后面的什长不做声，尽年青人走，却在指路碑上等着。

“什长，我家里有一把关刀。一百六十斤重，是铁打的。周仓抗过，那黑大哥真有劲，（他因为不曾听到后面的脚步声音，回了头。）什长，怎么？走不动了！赶路！”

“赶路罢，你自己赶上去。我们要下山了。”两个人笑着先走了。

“嗨，走错了吗？（他一口气冲到岔路上，见到了路碑。）什长，大哥，等等。我错了。妖精迷了我的路，好家伙。三步，两步，一，二，三，四，（追及了。）我在中间走。不说话。可以赌咒。”

暂时，这小子当真就是不说了。

过了一会。经过了一处烧坏了的大房子，在一堵还未完全倒坍的高墙下边，有一个干瘪瘪的老年妇人搭了个小小草棚，在草棚前卖绿荫荫的酸李子。

“买。”年青人停了，想从板带里掏钱。

“不能，吃生李子肚子会痛。你吃水太多了。”

“……”

“走!”

走了。回头还望望那老妇人。舍不得那李子。又说话了。

“这叫什么村?”

什长不答理，人在前面，吹着哨子，模仿喇叭的行军曲。

“……”庆庆不作声了，默默的如在操场时被领头带着散步走进的情形，且默默的数“一二”“一二。”

行过十里中不曾遇到一个人。

行过廿里中无一个村落。行过廿五里太阳快要向一个荒凉小山后下沈时候，三人进了一个小小的青石堆砌的寨堡。看见一匹马，马上还有鞍辔。到站了。应当休息了。庆庆欢喜了。

“什长，到了，找好地方喔。有臭虫是不行的。太脏是不行的。你瞧这里不错。是县分咧。有知事告示。不知道衙门在那里？什长，这里来罢，倒好，挂得有牌。进去罢。（他自己也进那屋子了。）老板，有住处没有？三个人。一个大木床行了。要干净一点。”

出来的是一个中年人。蓝竹布长衫，旧得很，仿佛像卖卦人身分，和气的声音说：“是乡亲！就住到这里！请坐！”

坐下了。什长一条，庆庆同那伴当一条，是大白木板凳，很新很粗的还有松香气味。主人进去取烟取茶。烟来时，客不吸烟，就自己用着。

“尊姓是？”什长问主人。

“张。字问渔。湖南省桃源县人。”

“喔，真是乡亲！我们通是湖南人。好极了。今天真好。”

“真不容易。三生有幸。几位是从云南来了？”

“是的。是走十来天了。”

“请教是……”

“贱姓侯……”

“好极了，今天。”主人搓着两只瘦手，口上的咬着的烟管冒着烟子，又出去找人去了。

不到一刻三人在洗脚了。一个脚盆里，五只泥腿在滚热水中烫着。庆庆另一只脚不敢落水，主人见到了，忙问。知道受了伤，就即刻取伤药来。异乡的骨肉，原应关心到如自己的亲人。

从谈话中才知道主人是县公署科长，县长也就是住在这小店中。每天到一个旧庙中审点案，判断一些小生意人的争持，晚上就回到小店中住处来吃饭睡觉，上床以前读读《庄子》，无事时则过各处小乡绅家中去喝点酒，作县长的五日一场才有新鲜猪肉吃。县长无处可去无事可作时，就下点棋或种种瓜菜。本县城内共计一百卅二户，大小人口三百四十四人，还将县长本身算在这一个数目里面。

“有军队没有?”问主人有不有军队，因为自己是兵的原故。

“有警备队。一共二十个。有十枝枪。”主人说时也笑了。

“地方清静不清静?”

“这里倒好。太荒凉，容不下大股匪。土匪是不能挨饿的，养得起兵的地方也停得住匪。不过有时也有人在路上被抢。最近不久还听说——”

县长回来了，一个穷秀才样子，穿了件旧的浅蓝竹布长衫，罩上半新的黑色羽纱之类小袖马褂，鼻小眼明，样子和霭，与来客供手作礼，古意盎然。

科长作东，县长作陪，三个在异乡异县跋涉远道的人，吃了一顿意想不到的晚饭，夜间，上了床，另一室中县长《秋水篇》的朗吟，把庆庆等三人送到梦境里去了。

庆庆梦中下了溪里洗澡，泅水的有县长同几个纸客在内。此外还有猴子，小鱼，也能泅水打汆子。

第二天一亮，几个人起身整备行李时，他们从主人处知道一件严重的事情。昨天较晚南来的行路人，投县报告了一个消息：有几个纸客被抢了。还死了两个人。死了的人是个军官，因为有钱，有刀，不服抄掠，便被杀死了。地点是瓮谷的灵官庙前桥头上，出山猴子地方。县长准备去验尸，各处找轿夫找警备队。

三个人皆呆了。

当天仍然上了路，他们的家乡离那里还有二十天！

三个男子和一个女人

因为落雨，朋友逼我说落雨的故事。这是其中最平凡的一个。它若不大动人，只是因为它太真实。我们都知道，凡美丽的都常常不是真实的，天上的虹同睡眠的梦，便为我们作例。

没有什么人知道军队中开差要落雨的理由。

我们自己是找不出那个理由的。或者这事情团部的军需能够知道，因为没有落雨时候，开差的草鞋用得很少，落了雨，草鞋的耗费就多了。落雨开差对于军需也许有些好处。这些事我们并不清楚，照例非常复杂，照例团长也不大知道，因为团长是穿皮靴的。不过每次开拔总同落雨有一种密切关系，这是本年来我们的巧遇。

在大雨中作战，还需要人，在雨里开差，我们自然不应当再有何种怨言了。雨既然时落时止，部队的油布雨衣，都很完全。我们前面办站的副官，从不因为借故落雨，便不把我们的饮食预备妥当。我们的营长，骑在马上，尽雨淋湿全身，也不害怕发生疟疾。我们在雨中穿过竹林，或在河边茅棚下等候渡船，因为落雨，一切景致看来实在比平常日子美丽许多。

落了雨泥浆分外多，但滑滑的走着长路，并不使人十分难过。我们是因为落雨，所以每天才把应走的里数缩短的。我们还可以在方便中，借故走到一个有青年妇人的家里去，说几句俏皮话，打个哈哈，顺便讨取几张棕衣，包到脚上。我们因为落雨，才可以随便一点，同营长在一个小盆里洗脚。一个兵士还能够有机会同营长在一个盆里洗脚，这出乎军纪风纪以上的放肆，在我们那时节，是不甚么容易得到的机会！

队伍走了四天，到了我们要到的地点。天气是很有趣味的天气，等到队伍已经达到目的地，忽然放了晴，有太阳了。一定有许多人要笑它，以为太阳在故意同我们作对。好罢，这个我们可管不了许多。我们是移到这里来填防的，原来所驻的军队早已走了，把部队开来补缺，别人做什么无聊事我们还是要继续来作。

乘满天红霞夕阳照人时，我们有一营人留在此地了。另外一营人，今天晚上虽然也留在此地，第二天就得开拔到一个五十里外的镇上去。那些明天还要开拔的，这时节已全驻扎到各小客栈同民房，我们却各处去找寻应当驻宿的地点。因为各个部队已经分配好了，我们的旗子插到杨家祠堂，可是一连人中谁也不知道这杨家祠堂的方向，只是在街中乱抓别一连的兵士询问。

原来杨家祠堂有两个，我们找了许久，找到的还是好像不对。因为这祠堂太小，太坏，内中极其荒凉。但连长有点生气，他那尊贵的脚不高兴再走一步了。他说，这里既然是空的，就歇息一下，再派人去问罢。我们全是走了一整天长路的人，我们还看到许多兵士，在民房里休息，用大木盆洗脚，提干鱼匆匆忙忙的向厨房走去。倦了饿了，都似乎有了着落，得到解决，只有我们还在这市镇街上各处走动，像一队无家可归的游民。现在既然有了个歇脚地方，并且时间又已经快夜了，所以谁也不以为意，都在祠堂外廊下架了枪，许多人都坐在那石狮子下，松解身上的一切负荷。

一个年青号兵不知从什么地方得来了一个葫芦，满葫芦烧酒，一个人很贪婪的躲到墙脚边喝它。有些兵士见到了都去抢这葫芦，到后葫芦打碎，所有酒全泼在还不十分干燥的石地上了。号兵发急，大声的辱骂，而且追打抢劫他的同伴。

连长听到这个吵闹，想起号兵的用处了，就要号兵吹号探问团部。号兵爬到石狮子上去，一手扳着那为夕阳所照及的石狮，一手拿着那支紫铜短小喇叭，吹了一通问答的曲子，声音飘荡到这晚风中，极其抑扬动人。

其时满天是霞，各处人家皆起了白白的炊烟，在屋顶浮动。许多年青妇人带着惊讶好奇的神气，身穿新浆洗过的月蓝布衣裳，胸前挂着扣花围裙，抱了小孩子，远远的站在人家屋檐下看热闹。

那号兵，把喇叭吹过后，就得到了驻在山头庙里团部的回音。连长又要号兵用号声，询问是不是本连就在这祠堂歇脚。那边的答覆还是不能使我们的连长满意。于是那号兵，第三次又鼓着那嘴唇，吹他那紫铜喇叭。

在街的南端，来了两只狗，有壮伟的身材，整齐的白毛，聪明的眼睛，如两个双生小孩子，站在一些人的面前。这东西显然是也知道了祠堂门前发生了什么事情，特意走来看看的。

这对大狗引起了我们一种幻想。我们的习惯是走到任何地方看到了一只肥狗，心上就即刻有一个杀机兴起，极难遏止的。可是另外还有更使人注意的，是听到有一个女子的声音喊“阿白”，“阿白”，清朗而又脆弱，喊了两声，那两只狗对我们望望，仿佛极其懂事，知道这里不能久玩，返身飞跑去了。

天气快晚了。满天红云。

我们之间忽然发生了一个意外的变故。那号兵，走了一整天的路，到地后，大家皆坐下休息了，这年青人还爬上石狮子去吹了好几次号。到后脚腿一发麻，想从石狮子上跳下时，谁知两脚已毫无支持他那身体的能力，跳到地下就跌倒不能爬起，一双脚皆扭伤了筋，再也不能照平常人的方便走路了。

这号兵是我同乡，我们在一个堡寨里长大，一条河里泅水过着夏天，一个树林子里拾松菌消磨长日。如今便应当轮到我来照料他了。

一个二十岁的人，遭遇这样的不幸，那有什么办法可言？因为连长也是同乡，号兵的职务虽不革去，但这个人却因为这不幸的事情，把事业永远陷到号兵的位置上了。他不能如另外号兵，在机会中改进干部学校再图上进了，他不能再有资格参加作战剿匪的种种事情了，他不能再像其他青年兵士，在半夜里爬过一堵土墙去与本地女子相会了。总而言之，便是这个人做人的权利，因为这无意中一摔，一切皆消灭无余，无从补救了。

我因为同乡原故，总是特别照料到这个人。我那时是一个什长，我就把他放在我那一棚里。这年青人仍然每早得在天刚发白时候爬起，穿上军衣，弄得一切整齐，走到祠堂外边石阶上去，吹天明起床号一通。过十分钟，又吹点名号一通。到八点又吹下操号一通。到十点又吹收操号一通。……此外还有许多次数，都不能疏忽。军队到了这里，半月来完全不下操，但照规矩那号兵总得尽号兵的职务。他每次走到外边去吹他的喇叭时，都得我照扶他。我或者没有空闲，这差事就轮着班上一个火夫。

我们都希望他慢慢的会转好，营部的外科军医，还把十分可信的保证送给这个不幸的人。这年青人两只腿被军医都放过血，揉搓过许久，且用药烧灼过无数次，末了还用杉木板子夹好。日子一天一天的过去，还是得不到少许效验，我们都有点失望了，他自己却不失望。

他说他会好的，他只要过两个月就可以把杉木夹板取去，可以到田里去追赶野兔了。听到这个话老军医便笑着，因为他早知道这件事是青年人永远无可希望的事情，不过他遵守着他做医生的规则，且法律又正许可这类人说谎，所以他约许给这个号兵种种利益，有时比追兔子还夸张得不合事实。

过了两个月，这年青人还是完全不济事。伤处的肿已经消了，血毒症的危险不会有了，伤部也不至于化脓溃烂了，但这个号兵，却已完全是一个瘸脚人了。他已经不要人照料，就可以在职务上尽力了。他仍然住在我那一棚里，因为这样，我们两人之间，成立了一种最好的友谊。

我们所驻在的市镇，并不十分热闹，但比起湘边各小城市，却另有一种风味。这里只四条大街，中央一个鼓楼操纵全城。这里如其他地方一样，有药铺同烟馆，有赌博地方同喝酒地方。我每天差不多都同这个有残疾的号兵在一处过活，出去时总在一块，喝酒两人帮忙，赌博两人拉伴平分。

若果部队不开拔，这年青人仍然有一切当兵人的幸福。凡是一个兵士能做到的事，他仍然可以有分。他要到那些有年青妇人的住处去，妇人们都不敢得罪他。他坐上桌子赌五十文一注的二十一点扑克，别人也不好意思行使欺骗。他要吹号，凡是在过去没有赶得过他的，如今还是不会超过他。大家知道这个号兵的不幸，还不约而同的帮助这个人。

但他的性情，在我看来，有些地方却变了。他是一个号兵，照例一个号兵，对于他的喇叭应当有一种特殊嗜好，无事时到各处走去，喇叭总不能离身。他一定还是一个动作敏捷活泼喜事的人。他可以在晨光微曦中，爬到后山头或城堡上去试音，到了夜里，还要在月光下奏他的曲子，同远远的另一连互相唱和。别的连上的号手，在逢场时节，还各人穿了整齐的制服，排队到场上游行，成列的对本城人有所眩耀，说不定其中就有意外的幸运发生，给那些藏在腰门后面，露出一个白白额角同黑亮眼睛的妇女们注了意。还有，他若是行动自由而且方便，拿喇叭到山上去吹，会有多少小孩子，带着微微的害怕，围拢来欣赏这大人物的艺术，他就可以同那些小孩子成立一种友谊。慢慢地，他就得到许多小朋友了。

属于号兵分外的好处，一切都完了。他仅有的只是一点分内的职务。平时好动喜事的他，有点儿阴郁，有点儿可怜。他的脚已经瘸了。连长当人面前就大声的喊瘸子。为了一种方便，为了在辨别上容易认出，自从这号兵一瘸，大家都在他的号兵名字加上了“瘸子”两字，本连火夫也有了这一种权利对这个人存轻视心，轻轻的互相批评这不幸的人，且背地里学这人的行动，作为娱乐。

在先，对于号兵的职务，他仍然如一个好人一样，按时站在祠堂门外，或内面殿堂前石阶上，非常兴奋的奏他的喇叭。后来因为本连补下一个小副手，等到小号兵已经能够较正确的吹完各样曲子时，他就不常按时服务了。

他同我每天都到南街一个卖豆腐的人家去，坐在那大木长凳上，看铺子里年青老板推浆打豆腐。这铺子对面是一个邮政代办所，一家比本城各样铺子还阔气的房子，从对街望去，看得见铺子里油黄大板壁上挂的许多字画，许多贴金洒金的对联。最初来的那一天，我们所见到的那两只白色大狗，就是这人家所豢养的东西。这狗每天蹲在门前，遇熟人就站起身来玩一阵，后来听到一个人的叫唤，便显得匆匆忙忙，走到有金鱼缸的门里天井去了。

我们难道是靠着白吃一碗豆浆，就成天来赖到这铺子里面么？我们难道当真想要同着年青老板结拜兄弟，所以来同这个人要好么？

我们来到这里有别的原因。但是，两个兵士，一个是废人，一个虽然被人家派为什长，站班时能够走出队伍来喊报名，在弟兄中有一种权利，在官长方面也有一种权利，俨然是一个预备军官，更方便处是可以随意用各样希奇古怪的名称，辱骂本班的火夫，作为脾气不好时节的泄气方法。可是一到外面，还有什么威武可说?一个班长，一连有十个或十二个，一营有三十六个，一团就有一百以上。什长的肩领章，在我们这类人身上，只是多加一层责任罢了。一个兵士的许多利益，因为是班长，却无从得到了。一个兵士有许多放肆处，一个班长也不许可了。若有人知道作战时班长同排长的责任，谁也将承认班长的可怜悯了。我到这儿是不以班长自居的，我擅用了一个兵士的权利，来到这豆腐铺。虽然我们每天总不拒绝由那个单身的强健的年青人手里，接过一碗豆浆来喝，我们可不是为吃豆浆而上门的。我们两人原来都看中了那两只白狗，同那狗的女主人了。癞蛤蟆想吃天鹅肉，这句话恰像为我们说的。

说起这女人真是一个标致的动物！在我生来还不曾见到有第二个这样的女子。我看过许多师长的姨太太，许多女学生。第一种人总是娼妓出身，或者做了太太，样子变成娼妓。第二种人壮大得使我们害怕，她们跑路，打球，做一些别的为我们所猜想不到的事情，都变成了水牛。她们都不文雅，不窈窕。至于这个人呢，我说不出完全合意的是些什么地方，可是不说谎，我总觉得这是一朵好花，一个仙人。

我们一面服从营规，来时服从自己的欲望，在这城里我们不敢撒野，我们却每天到这豆腐铺子里来坐下。来时同年青老板谈天，或者帮助他推磨，上浆，包豆腐，一面就盼望那女人出门玩时，看一看那模样。我们常常在那二门天井大鱼缸边，望见白衣一角，心就大跳，血就在全身管子里乱窜乱跑。我们每天想方设法花钱买了东西，送给那两只狗吃，同这个畜生要好。在先，这畜生竟像知道我们存心不良，送它们的东西嗅了一会就走开了。但到后来这东西由豆腐铺老板丢过去时，两条狗很聪明的望了一下老板，好像看得出这并不是毒药，所以吃下了。

为甚么我们要在这无希望的事业上用心，我们自己也不知道。按照我们的身分，我们即或能够同这个人家的两条狗要好，也仍然无从与那狗主人接近。这人家是本地邮政代办所的主人，也就是这小城市唯一的绅士，他是商会的会长，铺子又是本军的兑换机关。时常请客，到此赴席的全是体面有身分的人物，团长同营长，团副官，军法，军需，无不在场。平常时节也常常见营部军需同书记官，到这铺子里来玩，同那主人吃酒打牌。

我们从豆腐铺老板口上，知道那女人是会长最小的姑娘，年纪还只有十五岁。我们知道一切无望了，还是每天来坐到豆腐铺里，找寻方便，等候这娇生惯养的小姑娘出外来，只要看看那明艳照人的女人一面，我们就觉得这一天大快乐了。或者一天没有机会见到，就是单听那脆薄声音，喊叫她家中所豢养狗的名字，叫着大白二白，我们仿佛也得到了一种安慰。我们总是痴痴的注想到那鱼缸，因为从那里常常可见到白色或葱绿色衣角，就知道那个姑娘是在家中天井里玩。

时间略久，那两只狗同我们做了朋友，见我们来时，带着一点谨慎小心的样子，走过豆腐铺来同我们玩。我们又恨这畜生又爱这畜生，因为即或玩得很好，只要听到那边喊叫，就离开我们走去了。可是这畜生是那么驯善，那么懂事！不拘什么狗都永远不会同兵士要好的，任何种狗都与兵士作仇敌，不是乘隙攻击，就是一见飞跑；只有这两只狗竟当真成了我们的朋友。

豆腐铺老板是一个年青人，强健坚实，沉默少言，每天愉快的作工，同一切人做生意，晚上就关了店门睡觉。看样子好像他除了守在铺子面前，什么事情也不理，除了做生意，什么地方也不去。初初看来竟不知道这人什么时候吃饭，什么时候去买办他制豆腐的黄豆。他虽不大说话，可是一个主顾上门时节，他总不至疏忽一切的对答。我们问他所有不知道的事情时，他答应得也非常满意。

我们曾邀约他喝过酒，等到会钞时，走到柜上去算账，却听说豆腐老板已先付了账。第二次我们又请他去，他就毫不客气的让我们出钱了。

我们只知道他是从乡下搬来的，间或也有乡下亲戚来到他的铺子里，看那情形，这人家中一定也不很穷。他生意做得不坏，他告诉我说，他把积下的钱都寄回乡下去。问他是不是预备讨一个太太，他就笑着不说话。他会唱一点歌，嗓子很好，声音调门都比我们营里人高明。他又会玩一盘棋，人并不识字，“车”“马”“象”“士”却分得很清楚。他做生意从未用过账簿，但赊欠来往数目，都能用记忆或别的方法记着，不至于使它错误。他把我们当成朋友看待，不防备我们，也不谄谀我们。我们来到他的铺子里，虽然好像单为了看望那商会会长的小姑娘，但若没有这样一个同我们合得上的主人，我们也不会不问晴雨到这铺子里混了！

我同到我那同伴瘸脚号兵，在他豆腐铺里谈到对面人家那姑娘，有时免不了要说出一些粗话蠢话，或者对于那两只畜生，常常做出一点可笑的行为，这个年青老板，总是微笑着，在他那微笑中我们虽看不出什么恶意，却似乎有点秘密。我便说：

“你笑甚么？你不承认她是美人么？你不承认这两只狗比我们有福气么？”照例这种话不会得到回答。即或回答了，他仍然只是忠厚诚实而几几乎还像有点女性害臊神气的微笑。

"为甚么还好笑？你们乡下人，完全不懂美！你们一定欢喜大奶大臀的妇人，欢喜母猪，欢喜水牛，为的是肥大合用。但是这因为你不知道美人，不知道好看的东西。"

有时那跛子号兵，也要说："娘个狗，好福气！"且故意窘那豆腐铺老板，问他愿不愿意变成一只狗，好得到每天与那小姑娘亲近的机会。

照例到这些时节，年青人一面便脸红着特别勤快的推磨，一面还是微笑。

谁知道这是甚么意思？谁又一定要追寻这意思？

我们的日子可以说是过得很快乐。因为我们除了到这里来同豆腐老板玩，喝豆浆看那个美人以外，还常常去到场坪看杀人。我们的团部，每五天逢场，总得将从各处乡村押解来到的匪犯，选择几个做坏事有凭据的，牵到场头大路上去砍头示众。从前驻扎在怀化，杀人时，若分派到本连护卫，派一排押犯人，号兵还得在队伍前面，在大街上吹号。到场坪时，队伍取跑步向前，吹冲锋号，使情形转为严重。杀过人以后，收队回营，从大街上慢慢通过，又得奏着得胜回营的曲子。如今这事情跛脚号兵已无分了。如今护卫的完全归卫队，就是平常时节团长下乡剿匪时保护团长平安的亲兵，属于杀人的权利也只有这些人占有了。我们只能看看那悲壮的行列，与流血的喜剧了。我也不能再用班长资格，带队押解犯人游街了。可是这并不是我们的损失，却是我们的好处。我们既然不在场护卫，就随时可以走到那里去看那些杀过后的人头，以及灰僵僵的尸体，停顿在那地方很久，不必须即时走开。

有一次，我们把豆腐老板拉去了，因为这个人平素是没有胆量看这件事的。到那血迹殷然的地方，四具死尸躺在土坪里，上衣已完全剥去，恰如四只死猪。许多小兵穿着不相称的军服，脸上显着极其顽皮的神气，拿了小小竹杆，刺泼死尸的喉管。一些饿狗远远的蹲在一旁，眺望到这里一切新奇事情，非常出神。

号兵就问豆腐老板，对于这个东西害不害怕。这年青乡下人的回答，却仍然是那永远神秘永远无恶意的微笑。看到这年青人的微笑，我们为我们的友谊感觉喜悦，正如听到那女子的声音，感觉生命的完全一个样子。

因为非常快乐，我们的日子也极其容易过去了。

一转眼，我们守在这豆腐铺子看望女人的事情就有了半年。

我们同豆腐老板更熟了些，同那两只狗也完全认识了。我们有机会可以把那白狗带到营里去玩，带到江边去玩，也居然能够得到那狗主人的同意了。

因为知道了女人毫无希望，（这是同豆腐老板太熟习了，才从他口中探听到不少事情的，）我们都不再说蠢话，也不再做愚蠢的企图了。仍然每天到豆腐铺来玩，帮助这个朋友，做一切事情。我们已完全学会制造豆腐的方法，能辨别豆浆的火候，认识黄豆的好坏了。我们还另外认识了许多本地主顾，他们都愿意同我们谈话，做我们的朋友。主顾是营里兵士时，我们的老板，总要我多多的给他们豆腐，且有时不接受主顾的钱。我们一面把生活同豆腐生意打成一片，一面便同那两只白狗成了朋友，非常亲昵，非常要好。那小姑娘的声音，虽仍然能够把狗从我们身边喊叫回去，可是有时候我们吹着哨子，也依然可以嗾使那两条狗飞奔的从家中跑出来。

我们常常看见有年青的军官，穿着极其体面的毛呢军服，白白的脸庞，带着一点害羞的红色，走路时胸部向前直挺，用那有刺马轮的长统黑皮靴子，磕着街石，堂堂的走进那人家二门里去，就以为这其中一定有一些故事发生，充满了难受的妒意。我到底是懂事一点的人，受了这个打击，还知道用别的方法安慰到自己，可是我的老伴瘸脚号兵，却因此大不快乐。我常常见他对那些年青官佐，在那些人背后，捏起拳头来作打下的姿式。又常常见他同豆腐老板谈一些我不注意到的事情。

有一次在一个小馆子里，各人皆喝多了一点酒，忘了形，我说过这样的话。我向那跛脚的残废人说：

“你是废人，我的朋友；我的庚兄；你是废人！一个小姐是只嫁给我们年青营长的。我们试去水边照照看，就知道这件事我们无分了。我们是什么东西？四块钱一月，开差时在泥浆里跑路，驻扎下来就点名下操，夜间睡到稻草席垫上给大爬虫咬，口是吃牛肉酸菜的口，手只捏那冰冷的枪筒。……我们年青，这有什么用：我们只是一些排成队伍的猪狗罢了，为甚么对于这姑娘有一种野心？为甚么这样不自量？……”

我那时的确已有了点醉意，不知道应当节制语言，只是糊糊涂涂，教训这个平时非常听好话的朋友。我似乎还用了许多比喻，提到他那一只脚。那时只是我们两个人在一处，到后，不知为甚么理由，这朋友忽然改变了平常的脾气，完全像一只发疯了的兽物，扑到我的身上来了。我们于是就揪打成一堆，各人扭着对方的耳朵，各人毫不虚伪的痛痛的打了一顿。我实在是醉了，他也是有点醉了。我们都无意思的骂着闹着，到后有兵士从门外过身，听到里面吵闹，像是自己人，才走进来劝解，费了许多方法才把我们拉开。

回到连上，各人呕了许多，半夜里，我们酒醒了，各人皆因为口渴，爬起来到水缸边拿水喝。两人喝了好些冷水，皆恍恍惚惚记起上半夜的事情，两人都哭起来。为甚么要这样斗殴？什么事使我们这样切齿？什么事必须要这样作？我们披了新近领下的棉军服，一同走到天井去看快要下落的月亮，如一个死人的脸庞。天空各处有流星下落，作美丽耀目的明光。各处有鸡在叫。我们来到这里驻防，我这个朋友跌坏了腿的那时，还是四月，如今已经是十月了。

第二天，两人各望着对方的浮肿的脸，非常不好意思。连上有人知道了我们的殴打，一定还有人担心我们第二次的争斗，可料不到昨夜醉里的事情，我们两人早已忘记了。我们虽然并不忘却那件事，但我们正因为这样，友谊似乎更好了些。

两人仍然往豆腐铺去，豆腐老板初初见到，非常惊讶，以为我们之间一定发生重大的事故。因为我们两人的脸有些地方抓破了，有些地方还是浮肿，我们自己互相望到也要发笑。

到后还是我来为我们的朋友把事情说明，豆腐老板才清楚这原委。我告诉他说，我恍惚记忆得我说了许多胡涂话，我还骂他是一只瘸脚公狗，到后，不知为甚么两人就揉在一处了。幸好是两人都醉了，手脚都无气力，毫不落实，虽然行动激烈，却不至于打破头部。

这时那个姑娘走出门来，站在她的大门前，两只白狗非常谄媚的在女人身边跳跃，绕着女人打围，又伸出红红的舌头舔女人的小手。

我们暂时都不说话了，三个人望到对面，后来那女人似乎也注意到我们两个人的脸上，有些蹊跷，完全不同往日了。便望着我们微笑：似乎毫不害怕我们，也毫不疑心我们对她有所不利。可是，那微笑，竟又俨然像知道我们昨晚上的胡闹，究竟是为了一些什么理由。

我那时简直非常忧郁，因为这个小姑娘竟全不以我们为意，在那小小的心里，说不定还以为我们是为了赚一点钱，同这豆腐老板合股做生意，所以每天才来到这里的。我望了一下那号兵，他的样子也似乎极其忧郁，因为他那只瘸腿是早已为人家所知道了的，他的样子比我又坏了一点，所以我断定他这时心上是很难受的。

至于豆腐老板呢，我不知道他是有意还是无意，这时节正露着强健如铁的一双臂膊，扳着那石磨，检察石磨的中轴，有无损坏。这事情似乎第三次了。另一回，也是在这类机会发现时，这年青诚实单纯的男子，也如今天一样检察他的石磨。

我想问他却没有开口的机会。

不到一会儿，人已经消失到那两扇绿色贴金的二门里不见了。如一颗星，如一道虹，一瞬之间即消逝了。留在各人心灵上的是一个光明的符号。我刚要对着我的瘸腿朋友作一个会心的微笑，我那朋友忽然说：

“二哥，二哥，你昨晚上骂得我很对，骂得我很对！我们是猪狗！我们是阴沟里的蛤蟆！……”

因为号兵那惨沮样子，我反而觉得要找寻一些话语，安慰这个不幸的废人了。我说：

“不要这样说罢，这不是男子应说的话。我们有我们的志气，凭这志气凡事都无有不可以做到。万丈高楼平地起，我们要做总统，做将军，一个女人，算不了什么希奇。”

号兵说：“我不打量做总统，因为那个事情太难办到。我这只脚，娘个东西，我这只脚！……”

“谁不许你做人？你脚将来会想法子弄好的，你还可以望连长保荐到干部学校去念书。你可以同他们许多学生一样，凭本领挣到你的位置。”

“我是比狗都不如的东西。我这时想，如果我的脚好了，我要去要求连长补个正兵名额。我要成天去操坪锻炼……”

“慢慢的自然可以做到，”我转头向豆腐老板望着，因为这年青人已经把石磨安置妥当，又在摇动着长木推手了。“我们活下来真同推磨一样，简直无意思。你的意思以为怎么样？”

这汉子，对于我说的话好像以为同我的身分不大相称，也不大同他的生活相合，还是同别一时节别一事情那样向我微笑。

我明白了，我们三个人同样的爱上了这个女子。

十月十四，我被派到七十里外总部去送一件公文，另外还有些别的工作，在石门候信住了一天，路上来回消磨了两天。

回转本城把回文送过团部，销了差，正因为这一次出差，得六块钱奖赏，非常快乐，预备回连上去打听是不是有人返乡，好把钱寄四块回去办冬天的腊肉。回连上见到瘸子，我还不曾开口，那号兵就说：

“二哥，那个女人死了！”

这是什么话？

我不相信，一面从容俯下身去脱换我的草鞋。瘸子站在我面前，又说是“女的死了，”使我不得不认真了。我听清楚这话的意义后，忽然立起，简直可说是非常粗暴的揪着了这人的领子，大声询问这事真伪。到后他要我用耳朵听听，因为这时节远处正有一个人家，办丧事敲锣打鼓，一个唢呐非常凄凉的颤动着吹出那高音。我一只脚光着，一只脚还笼在湿草鞋里，就拖了瘸子出门。我们同救火一样向豆腐铺跑去，也不管号兵的跛脚，也不管路人的注意。但没有走到，我已知道那唢呐锣鼓声音，便是由那豆腐铺对面人家传出。我全身发寒，头脑好像被谁重重的打击了一下，耳朵发烘烘的声音。我心想，这才是怪事！才是怪事……

我静静的坐在那豆腐铺的长凳上时，接过了朋友给我的一碗热豆浆。豆腐铺对面这个人家大门前已凭空多了许多人，门前挂了丧事中的白布，许多小孩子头上缠了白包头，在门外购买东西吃。我还看到那大鱼缸边，有人躬身用长铗焚着银锭，火光熊熊向上直冒，纸灰飞得很高。

我知道这些事情都是真实，就全身拘挛，然而笑了。

我看看那豆腐老板，这个人这时却不如往天那样乐观，显然也受了一种打击，有点支持不住了。他作为没有见到我的样子，回过脸去。我又看号兵，号兵却做出一种讨人厌烦的样子。不知道为甚么我这时真有点厌烦这跛脚的人，只想打他一拳，可是我到底没有做过这种蠢事。

到后我问，才知道这女子是昨天吞金死的。为甚么吞金，同些什么人有关系，我们当时一点也不明白，直到如今也仍然无法明白。（许多人是这样死去，活着的人毫不觉得奇怪的。）女人一死，我们各人都觉得损失了一种东西，但先前不会说到，却到这时才敢把这东西的名字提出。我们先是很忧郁的说及，说到后来大家都笑了，分手时，我们简直互相要欢喜到相扑相打了。

为甚么使我们这样快乐可说不分明。似乎各人皆知道女人正像一个花盆，不是自己分内的东西；这花盆一碎，先是免不了有小小惆怅，然而当大家讨论到许多花盆被一些混账东西长久占据，凡是花盆终不免被有权势的独占，唯有这花盆却碎到地下，我们自然似乎就得到一点开心了。

可是，回转营里，我们是很难受的。我们生活破坏无余了。从此再也不会为一些事心跳，在一些梦上发痴了。我们的生活，将永远有了一个看不见的缺口，一处补丁，再也不是完全的了。

其实这样女人活在世界上同死去，对于我们有什么关系？假使人还是好好的活下，开差移防的命令一到，我们还有什么希望可言？我们即或驻扎在这里再久，一个跛脚的号兵，一个什长，这两个宝贝，还有什么机会？除了能够同那两只狗认识以外，有何种伟大企图？

第二天，两人很早的就起来，互相坐在铺上对面，沉默无话可说。各人似乎在努力想把自己安置到空阔处去，不再给过去的记忆围困。各人都要生气，却不知道为甚么忽然脾气就坏到这样子。

“为甚么眼睛有点发肿？你这个傻瓜！”

号兵因为我嘲笑他，却不取反攻姿式，只非常可怜的望到我。

我说，“难道人家死了，你还要去做孝子么？”

他还是那样，似乎想用沉默作一种良心的雄辩，使我对于他的行为引起注意。

我了解这点，但是却不放弃我嘲骂他的权利。

“跛子，你真是只癞蛤蟆，吃虫蚁，看天上。”

末了他只轻轻的问我，“二哥，你说，是不是死了的人还会复活？”因为这一句痴话我又数说了他好一顿。

两人到豆腐铺时，却见对面铺门极其冷清，门前地下剩余一些白纸钱。我们的朋友，那个年青老板，人坐在长凳上，用手扶了头，人家来买豆腐时，就请主顾自己用刀铲取板上的豆腐。见我们来了，他有了一点点生气，好像是遮掩自己的伤痕，仍然对我们微笑着。他的笑，说明他还依然有个健康的身体和善良的人格。

“为甚么？头痛吗？”

“埋了，埋了，一早就埋了！”

“早上就埋了么？”

“天还不大亮就出门了的。”

“你有了些什么事情，这样不快乐？”

“我什么也不。”

他说了后，忙着为我们去取碗盏，预备盛豆浆给我们吃。

坐在那豆腐铺子里望着对面的铺子，心中总像十分凄凉，我同号兵坐了一会儿，就离开这个豆腐铺子，走向一个本地妇人处打牌去了。我们从那里探听得这女人所埋葬的地点，在离城两里的鲢鱼庄上。

不知为甚么我一望到那号兵忧郁样子，就使我非常生气要打他骂他。好像这个人的不欢喜样子，侮辱我对那小姑娘的倾心一样。好像他这样子，简直是在侮辱我。我实在不愿意再同他坐在一个桌上打牌了，就回到连上躺在草垫上睡了。

这夜里跛子竟没有回到连上来。他曾告我不想回连上去睡，我以为他一定在那妇人处过夜了，也不觉得希奇。第二天，我还是不愿意出门，仍然静静的躺在床上。到下午来我的头有点发烧，全身也像害了病，心中又不甚不想吃喝。吃了点姜糖草药，因为必须蒙头取汗，到全身被汗水透湿人醒来时，天已经夜了。

我爬身到大殿后面去小便，正是雨后放晴，夕阳斜挂屋角，留下一片黄色。天空有一片薄云，为落日烘成五彩。望到这个暮景，望到一片在人家屋上淡淡的炊烟，听到鸡声同狗声，军营中喇叭声，我想起了我们初来此地那一天发生的一切事情。我想起我这个朋友的命运，以及我们生活的种种，很有点怅惘，有点悲哀。有一个疑问的弧号隐藏在心上，对于这古怪人生，不知作何解释，我的思想自然还可以说是单纯而不复杂。

我到后仍然回去睡了，不想吃饭，不想说话，不想思索。我仍然睡下去，不知道有多少久时间，只是把棉被蒙了头颅，隐隐约约听到在楼上兵士打牌吵闹的声音，迷迷糊糊见过许多人，又像是我们已经开了差，已经上了路，已经到了地。过去的事重复侵入我的记忆，使我重新看见号兵跌倒时的神气。醒回时好像有人坐在我的身边。把被甩去，才知道灯已熄灭了，只靠着正殿上的大油灯余光，照得出有一个人影，坐在我身边不动。

“瘸子，是你吗？”

“是我。”

“为甚么这时节才回来？”

他把脸藏在黑暗里，没有做声。我因为睡了许久，出了两次汗，头昏昏的，这时候究竟已经是什么时候，也依然不很分明，就问他这是什么时候。他还是好像不曾听到我的话样子，毫无动静。

过了一会，他才说，“二哥，真是祖宗有灵，天保佑，放哨的差一点一枪把我打死了。”

“你不知道口令么?”

“我那里会知道口令?”

“难道已经是十二点过了么?”

“我不知道。”

“你今晚到些什么地方去，这时才回来?”

他又不做声了。我看见放在米桶上兵士们为我预备的一个美孚灯，把灯头弄得很小，还可以使它光亮，就要他捻一下灯。他先是并不动手，我第二次又请他做这件事。

灯光大了一点，我才望明白这号兵，全身黄泥，极其狼狈。脸上正如刚才不久同人殴打过样子，许多部分都牵掣着显著受伤的痕迹。我奇异而又惊讶，望到这朋友，不知道如何问他这一天来究竟到过些什么地方，做了些什么事情。我的头脑这时也实在还是有点糊涂，因为先一时在迷糊中我还梦到他从石狮上滚下地的情形，所以这时还仿佛只是一个梦。

他轻轻的轻轻的说，“二哥，二哥，那坟不知道被谁挖掘了。”

“谁的坟呢。”

“好像是才挖掘不久的，我看得很清楚。”他的话，带着顽固神气，使我疑心他已经发了狂。

“我说，你说的是什么人的坟？在什么地方，为什么你知道？”

“为甚么我不知道吗？我听人说那大辫子埋在鲢鱼庄，我要去看看。我昨天到过一次，还是很好的。我今天晚上又去，我很分明记到那一条路，那座坟，不知道已经被谁挖了。”

如不是我有点发狂，一定就是我这个朋友发了狂。我明白他所指的坟是谁埋葬在那里了。我像一个疯人，跳了起来，“你到过她的坟上么，你到过她的坟上么？你存什么心？你这畜生……”

这朋友，却毫不惊讶，静静的幽悄的说，“是的！我到过她的坟上，昨天到过，今天又到过。我不是想做坏事的人！我可以赌咒，天王在上，我并不带了什么家伙去。我昨晚上还看到那个土堆，一个上好土馒头，今天晚上全变了。我可以赌咒，看到的是昨晚那座坟，完全不是原有样子。不知谁做了这样事情，不知谁把她从棺木里掏出，背走了。”

我听到这个吓人的报告，却忽然想起一个人来了。但我并不说出口，因为这个人还只在我的心上一闪，就又即刻消失了。我起了一个疑问，以为是这个女子复活，因为重新生回，所以从棺木中挣扎奔出，这时节或者已经跑回家中同她的爹爹妈妈说话了。我又疑心她的死是假的，所以草草的埋葬，到后另外一个人就又把她掘出，把她救走了。我又疑心这事一定在我这个朋友有了错误，因为神经错乱，忘记了方向和地位，第一次同第二次并不是在同一地方，所以才会发生这种误会。我用许多空想去解释，以为这件事并不完全真实。

后来我问他为甚么要到坟边去，他很虚怯，以为我疑心这事他一定已经知道，或者至少事后知道这主谋人是谁，他一连发了七种誓言，要求各样天神作证，分辩他并无劫取女尸的意思。他只是解释他并不预先拿有何种铁器作掘墓的人犯。他极力分辩他的行为。他把话说完了，望见我非常阴沉，眼睛里含有一种疑惧神色，如果我当时还不能表示对他的信托，他一定可以发狂把我扼死。

我的病已完全吓走了，我计算应当如何安置这个行将疯狂另一时又必然疯狂的朋友。我用许多别的话为他解说，且找出许多荒唐故事安慰这个破碎心灵。他的血慢慢的冷静，一切兴奋过去后，就不断的喃喃的骂着一句野话。他告给我他实在也有过这种设想，因为听人说吞金死去了的人，如果不过七天，只要得到男子的偎抱，便可以重新复活。他又告我，第一天他还只是想像他到了坟边，听得到有呼救声音，便来作一次侠义事，从墓中把人救出。第二天，他因为听人说到这个话，才又过那里去，预备不必有呼救声音，也把女人掘出。可是到了那里一看坟头已经完全变了样子，棺木掀盖在一旁，一个空棺张着大口等候吃人。他曾跳进棺里去看过一下，除了几件衣服以外什么也不见。一定是有人在稍早一些时候做了这事情，这人一定把坟掘开，便把女子的尸身背走了。

他已经不再请天神作他的伪证了。他诚实而又巨细无遗的同我说到过去一切，我听完了他这些话，找不出任何话来安慰他了。我对于这件事还是不甚相信；我还是在心中打量，以为这事情一定是各人都身在梦中。我以为即或不是完全作梦，到了明天早上，这号兵也一定要追悔今晚所说的话语，因为这种欲望谁也无从禁止，行诸事实仍然不近人情。他因为追悔他的行为，把我杀死灭口也做得出。我这样想着，不免有所预防，可是，这个人现在软弱得如一个妇人，他除了忏悔什么也不能做了。我们有一个问题梗到心上来了，就是我们此后对于这件事如何处置。是不是要去禀告一声，还尽那个哑谜延长？两人商量了一会，靠着简单的理智，认为这发现我们无权利去过问，且等天明到豆腐铺看看。走了许多夜路的号兵，一只瘸腿已经十分疲倦了，回来又谈了许久，所以到后就睡了。我是大白天睡了一整天的人，这时无论如何也不能再睡了。在灯影下望着这个残废苦闷的脸，肮脏的身，我把灯熄了，坐到这朋友身边，等候天明。

到豆腐铺时间已经不早了，却不见那年青老板开门。昨晚上我所想起的那件事，重新在我心上一闪。门既向外反锁，分明不是晏起，或在家中发生何等事故了。我的想像或将成为事实，我有点害怕，拉了号兵跑回连上，把这估计告给了那起过非凡野心的他。他不甚相信事情一定就是这样子，一个人又跑出了许久，回来时，脸色哑白，说他已经探听了别一个人家，知道那老板的确是昨天晚上就离开了他的铺子的。

我们有三天不敢出去，只坐在草荐上玩骨牌。到后有人在营里传说一件新闻，这新闻生着无形的翅翼，即刻就全营皆知了。“商会会长女儿新坟刚埋好就被人抛掘，尸骸不知给谁盗了。”另外一个新闻，却是“这少女尸骸有人在去坟墓半里的石峒里发现，赤光着个身子睡在洞中石床上，地下身上各处撒满了蓝色野菊花。”

这个消息加上人类无知的枝节，便离去了猥亵转成神奇。

我们给这消息楞住了。我们知道我们那个朋友作了一件什么事情。

从此以后我们再也不曾到那豆腐铺里去，坐在长凳上喝那年青朋友做成的豆浆，再也不曾见到这个年青诚实的朋友了。至于我那个瘸子同乡，他现在还是第四十七连的号兵，他还是跛脚，但他从不和人提起这件事情。他是不曾犯罪的，但另外一个人的行为，却使他一生悒郁寡欢。至于我，还有什么意见没有？……我有点忧郁，有点不能同年青人合伴的脾气，在军队中不大相容，因此来到都市里，在都市里又像不大合式，可不知再往那儿跑。我老不安定，因为我常常要记起那些过去事情。一个人有一个人命运，我知道。有些过去的事情永远咬着我的心，我说出来时，你们却以为是个故事，没有人能够了解一个人生活里被这种上百个故事压住时，他用的是一种如何心情过日子。

菜园

玉家菜园出白菜，因为种子特别，本地任何种菜人所种的都没有那种大卷心。这原因从姓上可以明白，姓玉本是旗人，菜种是当年从北京带来的。北京白菜素来著名的。

辛亥革命以前，来城候补的是玉太爷，单名讳琛。当年来这小城时带了家眷也带了白菜种仔。大致当时种来也只是为自己吃。谁知太爷一死，不久革命军推翻了清室，清宗室平时在国内势力一时失尽，顿呈衰败景象。各处地方皆有流落的旗人，贫穷窘迫，无以为生。玉家却在无意中得白菜救了一家人的灾难。玉家卖菜，从此玉家菜园成为人人皆知的地方了。

主人玉太太，年纪有了五十岁，年青时节应是美人，所以到老来还可以从余剩风姿想见一二。这太太有一个儿子是白脸长身的好少年。年纪二十一，在家中读过书，认字知礼，还有点世家风范。虽本地新兴绅士阶级，因切齿过去旗人的行为，极看不起旗人，如今又是卖菜佣儿子，很少同这家少主人来往。但这人家的儿子，总仍然有与平常菜贩儿子两样处。虽在当地得不到人亲近，却依然受人相当尊敬。

玉家菜园园地的照料，另雇得有人。主人设计每到秋深便令长工在园中挖窖，冬天来雪后白菜全入窖，从此一年四季城中人皆有大白菜吃。菜园廿亩地方除了白菜也还种了不少其他菜蔬，善于经营的主人，使本城人一年任何时节都可得到极好的蔬菜。也便因此，收入数目不小。十年来，因祸得福，渐渐成为小康之家了。

仿佛因为种族不同，很少同人往来的玉家母子，由旁人看来，除知道这人卖菜有钱以外，其余一概茫然。

夏天薄暮，这个富于林下风度的中年妇人，穿件白色细麻布旧式衣服，拿把宫扇，朴素不华的在菜园外小溪边站立纳凉。侍立在身边的是穿白绸短衣裤的年青男子。两人常常沉默着半天不说话，听柳上晚蝉拖长了声音飞去，或者听溪水声音。溪水绕菜园折向东去，水清见底，常有小虾小鱼，鱼小到除了看玩就无用处。那时节，鱼大致也在休息了。

动风，晚风中混有素馨兰花香，茉莉花香。菜园中原有不少花木的，在微风中掠鬓，向天空柳枝空处数点初现的星，做母亲的想着古人的诗歌。想不起谁曾写下形容晚天如落霞孤鹜一类好诗句，又总觉得有人写过这样恰如其境的好诗，便笑着问那个男子，是不是能在这样情境中想出两句好诗。

“这景象，古今相同。对它得到一种澈悟，一种启示，应当写出几句好诗的。”

“这话好像古人说过了，记不起这个人。”

“我也这样想。是谢灵运，是王……不能记得，我真上年纪了。”

“母亲你试作七绝一首，我和。”

“那么，想想罢。”

做母亲的于是当真就想下去，低吟了半天，总像是没有文字能解释当前这一种境界。所谓超于言语，正如佛法，心印默契，不可言传，所以笑了。她说：

“这不行。”

稍过，又问，

“少琛，你呢?”

男子笑着说，这天气是连说话也觉得可惜的天气，做诗等于糟塌好风光。听到这样话的母亲莞尔而笑，过了桥，影子消失在白围墙后不见了。

不过在这样晚凉天气下，母子两人走到菜园去，看工人作瓜架子，督促舀水，谈论到秋来的菜种，萝卜的市价，也是很平常的事。他们有时还到园中去看菜秧，亲自动手挖泥舀水。一切不造作处，较之斗方诗人在瓜棚下坐一点钟便拟赋五言八韵田家乐，虚伪真实，相去真不可以道里计。

冬天时，玉家白菜上了市，全城人皆吃玉家白菜。在吃白菜时节，有想到这卖菜人家居情形的，赞美了白菜总同时也就赞美了这人家母子。一切人所知有限，但所知的一点点便仿佛使人极其倾心。这城中也如别的城市一样，城中所住蠢人比聪明人多十来倍，所以竟有那种人，说出非常简陋的话，说是每一株白菜，皆经主人的手抚手摸，所以才能够如此肥茁，这原因是有根有柢的。从这样呆气的话语中，也仍然可以看出城中人如何闪耀着一种对于这家人生活优美的企羡。

做母亲的还善于把白菜制各样干菜，根叶心皆可以用不同方法制作成各种不同味道。少年人则对于这一类知识，远不及其对于笔记小说知识丰富。但他一天所做的事，经营菜园的时间却比看书写字时间多。年青人，心地洁白如鸽子毛，需要工作，需要游戏，所以菜园不是使他厌倦的地方。他不能同人锱铢必较的算账，不过单是这缺点，也就使这人变成更可爱的人了。

他不因为认识了字就不作工，也不因为有了钱就增加骄傲。对于本地人凡有过从的，不拘是小贩他也能用平等相待。他应当属于知识阶级，却并不觉得在作人意义上，自己有特别尊重读书人必要。他自己对人诚实，他所要求于人的也是诚实。他把诚实这一件事看做人生美德，这种品性同趣味却全出之于母亲的陶冶。

日子到了应当使这年青人定婚的时候了，这男子尚无媳妇。本城的风气，已到了大部分皆男女自相悦爱才结婚，然而来到玉家菜园的仍有不少老媒人。这些媒人完全因为一种职业的善心成天各处走动，只愿意事情成就，自己从中得一点点钱财谢礼。因太想成全他人，说谎自然也就成为才艺之一种，眼见用了各样谎话都等于白费以后，这些媒人方死了心，不再上玉家菜园。

然而因为媒人的串掇，以及另一因缘，认识过玉家青年人，愿意作玉家媳妇私心窃许的，本城女人却很多很多。

二十二岁的生日，作母亲的为儿子备了一桌特别酒席，到晚来两人对坐饮酒。窗外就是菜园，时正十二月，大雪刚过，园中一白无际。已经摘下还未落窖的白菜，全成堆的在园中，白雪盖满，正像大坟。还有尚未摘取的菜，如小雪人，成队成排站立雪中。母子二人喝了一些酒，谈论到今年大雪同菜蔬，萝卜白菜皆须大雪始能将味道转浓。把窗推开了。

窗开以后园中一切皆可望到。

天色将暮，园中静静地。雪已不落了，也没有风。上半日在菜畦觅食的黑老鸹，不知到什么地方去了。母亲说，

“今年这雪真好！”

“今年刚十二月初，这雪不知还有多少次落呢。”

“这样雪落下人不冷，到这里算是希奇事。北京这样一点点雪可就太平常了。”

“北平听说完全不同了。”

“这地方近十年也变得好厉害！”

这样说话的母亲，想起二十年来在本地方住下的经过人事变迁，她于是喝了一口酒。

“你今天满二十二岁，太爷过世十八年，民国反正十五年，不单是天下变得不同，就是我们家中，也变得真可怕。我今年五十，人也老了。你爹若在世，就太好了。”

在儿子印象中只记得父亲是一个手持“京八寸”人物。那时吸纸烟真有格，到如今，连做工的人也买美丽牌，不用火镰同烟杆了。这一段长长的日子中，母亲的辛苦从家中任何一事皆可知其一二。如今儿子也教养成人了，二十二岁，命好应有了孙子。听说“母亲也老了”这类话的少琛，不知如何，忽想起一件心事来了。他蓄了许久的意思今天才有机会说出。他说他想过北京。

北京方面他有一个舅父，宣统未出宫以前，还在宫中做小管事，如今听说在旂章胡同开铺子，卖冰，卖西洋点心，生意不恶。

听说儿子要到北京去，作母亲的似乎稍稍吃了一惊。这惊讶是儿子料得到的，正因为不愿意使母亲惊讶，所以直到最近才说出来。然而她也挂念着那胞兄的。

“你去看看你三舅，还是做别的事?”

“我想读点书。”

“我们这人家还读什么书？世界天天变，我真怕。”

“那我们俩去!”

“这里放得下吗?”

“我去三个月又回来，也说不定。”

“要去，三年五年也去了。我不妨碍你。你希望走走就走走，只是书，不读，也不甚么要紧。做人不一定要多少书本知识。像我们这种人，知识多，也是灾难!”

这妇人这样慨乎其言的说后，就要儿子喝一杯，问他预备过年再去还是到北京过年。

儿子说赶考，是今年走好，且乘路上清吉，也极难得。

虽然母亲同意远行，却认为事情不必那么匆忙，因此到后仍然决定正月十五以后，再离开母亲身边。把话说过，回到今天雪上了，母亲记起忘了的一桩事情，她要他送一坛酒给做工人，因为今天不是平常的日子。八个工人喝着酒时，都很愉快。

不久过年了。

过了年，随着不久就到了玉琛动身日子了。信早已写给北京的舅父，于是坐了省河小轿，到××市坐车，转武汉，再换火车，到了北京。

时间过了三年。

在这三年中，玉家菜园还是玉家菜园。但渐渐的，城中便知道玉家少主人在北京大学读书，极其出名的事了。其中经过自然一言难尽琐碎到不能记述。然而在本城，玉家还是出白菜。在家中一方面稍稍不同了的，是作儿子的常常寄报纸回来，寄书回来，作母亲的一面仍然管理菜园的事务，兼喂养一群白色母鸡，自己每天无事时，便抓玉米喂鸡，与鸡雏玩，一面读从北京所寄来的书报杂志。

地方一切新的变故甚多，革命，北伐，……于是死到野外无人收尸因而烂去了的英雄，全成了志士先烈。……于是地方的党部工会成立了。……于是马日事变年青人都杀死，工会解散党部换了人。……于是北京改成了北平。

地方改了北平，北方已平定，仿佛真命天子出世，天下快太平了，在北平地方的儿子，还是常常有信来，寄书报则稍稍少了一点。

在本城的母亲，每月寄六十块钱去，同时写信总在告给身体保重以外顺便问问有不有那种相合的女子可以订婚，母亲年纪渐老，自然对于这些事也更见其关心。大热天，三年来的母亲还是同样的不失林下风度。因儿子的原故，多知了许多时事，然而一切外形，属于美德的没有一种失去。且因一种方便，两个工人得到主人的帮助，都接亲了。母亲把这类事告给儿子时，儿子来信说这样作很对。

儿子也来过信，说是母亲不妨到北平看看，把菜园交给工人，是一样的。虽说菜园的事也不一定放不下手，但不知如何，这老年人总不曾打量过北行的事。

当这母亲接到了儿子的一封信，说本学期热天可以回家来住一月时，欢喜极了。来信还只是四月，从四月起作母亲的就在家中为儿子准备一切。凡是这老年人想到可以使儿子愉快的事皆计划到了。一到了七月，就成天盼望远行人的归来。又派人往较远的 × × 市去接他，又花了不少钱为他添办了一些东西，如迎新娘子那么期待儿子的归来。

如期儿子回来了，更出于意外惊喜的，是同时还有一个媳妇回来。这事情直到进了家门母亲才知道，一面还在心中作小小埋怨，一面把“新客”让到自己的住房中去，作母亲的似乎人年青了十岁。

见到脸目略显憔悴的儿子，把新媳妇指点给两个工人夫妇，说“这是我们的朋友”时，母亲欢喜得话说不出。

儿子回家的消息不久就传遍了本城，美丽的媳妇也不久就为本城人全知道了。因为是从北京方面回来的，虽然绅士们的过从仍然缺少，但渐渐有绅士们的儿子到玉家菜园中的事了。还有本地教育局，在一次集会中，也把这家从北平回来的男子与媳妇请去开会了。还有那种对未来有所倾心的年青人，从别的事情上知道了玉家儿子的姓名，因为一种倾慕，特邀集了三五同好来奉访的事了。

从母亲方面看来，儿子的外表还完全如未出门以前，儿子已慢慢是个把生活插到社会中去的人了。许多事皆仿佛天真烂漫，凡是一切往日的好处完全还保留在身上，所有新获得的知识，却融入了生活里，找不出所谓迹。媳妇则除了像是过分美丽不适宜于做媳妇值得忧心以外，简直没有疵点可寻。

时间仍然是热天，在门外溪边小立，听水听蝉，或在瓜棚豆畦间谈话，看天上晚霞，五年前母子两人过的日子如今多了一人。这一家仍然仿佛与一地方人是两种世界，生活中多与本城人发生一点关系，不过是徒增注意及这一家情形的人谈论到时一点企羡而已。

因为媳妇特别爱菊花，今年回家，拟定看过菊花，方过北平，所以作母亲的特别令工人留出一块地种菊花，各处寻觅佳种，督工人整理菊秧，母子们自己也动动手。已近八月的一天，吃过了饭，母子们皆在园中看菊苗，儿子穿一件短衣，把袖子卷到肘弯以上，用手代铲，两手全是泥。

母亲见一对年青人，在菊圃边料理菊花，便作着一种无害于事极其合理的祖母的幻梦。

一面同母亲说北平栽培菊花的，如何使用他种蒿草干本接枝，开花如斗的事情，一面便同蹲在面前美丽到任何时见及皆不免出惊的夫人用目光作无言的爱抚。忽然县里有人来说，有点事情，请两个年青人去谈一谈。来人连洗手的暇裕也没有留给主人，把一对年青人就“请”去了。从此一去，便不再回家了。

做母亲的当时纵稍稍吃惊，也仍然没有想到此后事情。

第二天，作母亲的已病倒在床，原来儿子同媳妇，已与三个因其他原故而得着同样灾难的青年人，陈尸到教场的一隅了。

第三天，由一些粗手脚汉子为把那五个尸身一起抬到郊外荒地，抛在业已在早一天掘就因夜雨积有泥水的大坑里，胡乱加上一点土，略不回顾的抗了绳扛到衙门去领赏，尽其慢慢腐烂去了。

做母亲的为这种意外不幸晕去数次，却并没有死去。儿子虽如此死了，办理善后，罚款，具结，她还有许多事得做。三天后大街上贴了告示，才使她同本城人同时知道儿子是××党，仿佛还亏得衙门中人因为想到要白菜吃，才没有把菜园充公。这样打量着而苦笑的老年人，不应当就死去，还得经营菜园才行，她于是仍然卖菜，活下来了。

秋天来时菊花开遍了一地。

主人对花无语，无可记述。

玉家菜园或者终有一天会改作玉家花园，因为园中菊花多而且好，有地方绅士和新贵强借作宴客的地方了。

骤然憔悴如七十岁的女主人，每天坐在园里空坪中喂鸡，一面回想一些无用处的旧事。

玉家菜园从此简直成了玉家花园。内战不兴，天下太平，到秋天来地方有势力的绅士在园中宴客，吃的是园中所出产的素菜，喝着好酒，同赏菊花。因为赏菊，大家在兴头中必赋诗，有祝主人有功国家，多福多寿，比之于古人某某典雅切题的好诗，有把本园主人写作卖菜媪对于旧事加以感叹的好诗，好诗皆题壁，或镌石，预备嵌墙中作纪念。名士伟人，相聚一堂，人人尽欢而散，扶醉归去，各人回到家中一定还有机会作与五柳先生猜拳照杯的梦。

玉家菜园改称玉家花园，是主人在儿子死去三年后的事。这妇人沉默寂寞的活了三年，到儿子生日那一天，天落大雪，想这样活下去日子已够了，春天同秋天不用再来了，忽然用一根丝绦套在颈子上，便缢死了。

新与旧

（光绪……年）

日头黄浓浓晒满了教场坪，坪里有人跑马。演武厅前面还有许多身穿各色号衣的人，在练习十八般武艺。到霜降时节，道尹必循例验操，整顿部伍，执行升降赏罚，因此直属辰沅永靖兵备道各部队都加紧练习，准备过考。演武厅前马札子上坐得是千总同教官，一面喝茶，一面点名。每个兵士俱有机会选取合手行头，单个儿或配对子舞一回刀枪。驰马尽马匹入跑道后，纵辔奔驰，真个是来去如风，人在马上显本事，使用长矛杀球，或回身射箭。看本领如何，博取采声和嘲笑。

战兵杨金标，名分直属苗防屯务处第二队。这战兵在马上杀了一阵球，又到演武厅来找对手玩“双刀破牌”。执刀的虽来势显得异常威猛，他却拿着两个牛皮盾牌，在地下滚来滚去，真像刀札不着，水泼不进。相打到十分热闹时，忽然一个红褂子传令兵赶来，站在滴水檐前传话：

“杨金标，杨金标，衙门里有公事，午时三刻过西门外听候使唤！”

战兵听到使唤，故意卖个关子，向地下一跌，算是被对手砍倒了，赶忙抛下盾牌过去回话。传令兵走后，这战兵到马门边歇憩，大家一窝蜂拥过去，皆知道今天中午有案件要办，到时就得过西门外去砍一个人的头。原来这人一面在教场坪营房里混事，一面在城里大衙门当差，不止马上平地有好本领，还是一个当地最优秀的刽子手。

吃过饭后，这战兵身穿双盘云青号褂，包一块绉丝帕头，带了他那把尺来长的鬼头刀，便过西门外等候差事。到晌午时，城中一连响了三个小猪仔炮，不多久，一队人马就拥来了一个被吓得痴痴呆呆的汉子，面西跪在大坪中央，听候发落。这战兵把鬼头刀藏在手拐子后，走过棚公案边去向监斩官打了个千，请示旨意。得到许可，走近罪犯身后，稍稍估量，手拐子向犯人后颈窝一擦，发出个木然的钝声，那汉子头便落地了。军民人等齐声喝采；（对于这独传拐子刀法喝采！）这战兵还有事作，不顾一切，低下头直向城隍庙跑去。

到了城隍庙，菩萨面前磕了三个头，赶忙躲藏到神前香案下去，不作一声，等候下文。

过一会儿，县太爷带领差役鸣锣开道前来进香。

上完香，一个跑风的探子，忙匆匆的从外边跑来，跪下回事：“禀告太爷，城外某处有一平民被杀，尸首异处，流血遍地，凶手去向不明。”

县太爷虽明明白白在稍前一时，还亲手抹朱勒了一个斩条，这时节照习惯却俨然吃了一惊，装成毫不知情的神气，把警堂木一拍，“青天白日之下，有这等事？”

即刻差派员役，城厢各处搜索，且限令出差人员，得即刻把人犯捉来。又令人排好公案，预备人犯来时在神前审讯。那作刽子手的战兵，估计太爷已坐好堂，赶忙从神桌下爬出，跪在太爷面前请罪。禀告履历籍贯，声明西门城外那人是他杀的，有一把杀人血刀呈案作证。

县太爷把警堂木一拍，装模作样的打起官腔来问案。刽子手一面对杀人事加以种种分辩，一面就叩头请求太爷开恩。到结果，太爷于是连拍警堂木，喝叫差役“与我重责这无知乡愚四十红棍！”差役把刽子手揪住按在冷冰冰四方砖地下，“一五一十”“十五二十”那么打了八下，面对太爷禀告棍责已毕。一名衙役把个小包封递给县太爷，县太爷又将它向刽子手身边掼去。刽子手捞着了赏号，一面叩头谢恩，一面口上不住颂扬“青天大人禄位高升”。等到一切应有手续当着城隍爷爷面前办理清楚后，县太爷便打道回衙去了。

一场悲剧必需如此安排，正合符了“官场即是戏场”的俗话，也有理由。法律同宗教仪式联合，即产生一个戏剧场面，且可达到那种与戏剧相同的快乐目的。原因是边疆僻地的统治，本由人神合作，必在合作情形下方能统治下去。即如这样一件事情，当地市民同刽子手，就把它看得十分慎重，尤其是那四十下杀威棍，对于一个刽子手似乎更有意义。统治者必使市民得一印象，即是官家服务的刽子手，杀人时也有罪过，对死者负了点责任。然而这罪过却由神作证，用棍责可以禳除。这件事既已成为习惯，自然会好好的保存下来，直到社会一切组织崩溃改革时为止。

刽子手砍下一个人头，便可得三钱二分银子。领下赏号的战兵，回转营上时必打酒买肉邀请队中兄弟同吃同喝，且与众人讨论刀法，讨论一个人挨那一刀前后的种种，并摹拟先前一时与县正堂在城隍庙里打官话的腔调取乐。

——战兵杨金标，你岂不闻王子犯法，应与庶民同罪？一个战兵，胆敢在青天白日之下，持刀杀人！

——青天大人容禀……

——鬼神在上，为我好好招来！

——青天大人容禀……

于是喊一声打，众人便揪成一团，用筷头乱打乱砍起来。

战兵年纪正二十四岁，尚是个光身汉子，体魄健康，生活自由自在，手面子又好，一切皆来得干得，对于未来的日子，便怀了种种光荣的幻想。“万丈高楼从地起”，同队人也觉得这家伙将来不可小觑。

（民国……年）

时代有了变化，前清时当地著名的刽子手，一口气用拐子刀团团转砍六个人头不连皮带肉，所造成的奇迹不会再有了。时代一变化，“朝廷”改称“政府”，这个小地方毙人时常是十个八个，因此一来，任你怎么英雄好汉，切胡瓜也没那么好本领干得下。被排的全用枪毙代替斩首，于是杨金标变成了一个把守北门城上闩下锁的老士兵。他的光荣时代已经过去，全城人在寒暑交替中，把这个人同这个人的事业早完全忘掉了。

他年纪已六十岁，独身住在城门边一个小屋里。墙板上还挂了两具盾牌，一付虎头双钩，一枝广式土枪，一对护手刀；全套帮助他对于他那个时代那分事业倾心的宝贝。另外还有两根钓竿，一个鱼叉，一个鱼捞兜，专为钓鱼用的。一个葫芦，常常有半葫芦烧酒。至于那把杀人宝刀，却挂在枕头前壁上。（三十年前每当衙门里要杀人时，那把刀先一天就会来个预兆。一入了民国，这刀子既无用处，预兆也没有了。）这把宝刀直到如今一拉出鞘时，还寒光逼人，好像尚不甘心自弃的样子。刀口上尚留下许多半圆形血痕，刮磨不去。老战兵日里无事，就拿了它到城上去，坐在炮台头那尊废铜炮身上，一面晒太阳取暖，一面摩挲它，赏玩它。

城楼上另外还驻扎了一排正规兵士，担负守城责任。全城兵士早已改成新式编制，老战兵却仍然用那个战兵名义，每到月底就过苗防屯务处去领取一两八钱银子，同一张老式粮食券，银子作价折钱，粮食券凭券换八斗四升毛谷子。他的职务是早晚开闭城门，亲自动手上闩下锁。

他会喝一杯酒，因此常到杨屠户案桌边去谈谈，吃猪脊髓川汤下酒。到沙回回屠案边走一趟，带一个羊头或一付羊肚子回家。他懂得点药性，因此什么人生疱生疮，托他找药，他必很高兴出城去为人采药。他会钓鱼，也常常一个人出城到碾坝上长潭边去钓鱼，把鱼钓回来焖好，就端钵头到城楼上守城兵士伙里吃喝，大吼几声五魁八马。

大六月三伏天，一切地方热得同蒸笼一样，他却躺在城楼上透风处打鼾。兵士们打拳练“国术”，弄得他心痒手痒时，便也拿了那个古董盾牌，一个人在城上演“夺槊”“砍拐子马”等等老玩意儿。

城下是一条长河，每天有无数妇人从城中背了竹笼出城洗衣，各蹲在河岸边，扬起木杵捣衣。或高卷裤管，露出个白白的脚肚子，站在流水中冲洗绵纱。河上游一点有一列过河的跳石，横互河中，同条蜈蚣一样，凡从苗乡来作买卖的，下乡催租上城算命的，割马草的，贩鱼秧的，跑差的，收粪的，连牵不断从跳石上通过，终日不息。对河一片菜园，全是苗人的产业，绿油油的菜圃，分成若干整齐的方块，非常美观。菜园尽头就是一段山冈，树木郁郁苍苍。有两条大路，一条翻山走去，一条沿河上行，皆进逼苗乡。

城脚边有个小小空地，是当地卖柴卖草交易处，因此有牛杂碎摊子，有粑粑江米酒摊子。并且还有几个打铁的架棚砌炉作生意，打造各式镰刀，砍柴刀，以及黄鳝尾小刀，与卖柴卖草人作生意。

老战兵若不往长潭钓鱼，不过杨屠户处喝酒，就坐在城头铜炮上看人来往。或把脸掉向城里，可望见一个小学校的操坪同课堂。那学校为一对青年夫妇主持，或上堂，或在操坪里玩，城头上全望得清清楚楚。小学生好像很欢喜他们的先生，先生也很欢喜学生。那个女先生间或把他们带上城头来玩，见到老战兵盾牌，女的就请老战兵舞盾牌给学生看。（学生对于那个用牛皮作成绘有老虎眉眼的盾牌，充满惊奇与欢喜，这些小学生知道了这个盾牌后，上学下学一个个悄悄的跑到老战兵家里来看盾牌，也是常有的事。）有时小学生在坪子里踢球，老战兵若在城上，必大声呐喊给输家“打气”。

有一天，又是一个霜降节前，老战兵大清早起来，看看天气很好，许多人家都依照当地习惯大扫除，老战兵也来一个全家大扫除，卷起两只衣袖，头上包了块花布帕子，把所有家业搬出屋外，下河去提了好些水来将家中板壁一一洗刷。工作得正好时，守城排长忽然走来，要他拿了那把短刀赶快上衙门里去，衙门里人找他有要紧事。

他到了衙署，一个挂红带子的值日副官，问了他几句话后，要他拉出刀来看了一下，就吩咐他赶快到西门外去。

一切那么匆促，那么乱，老战兵简直以为是在梦里。正觉得人在梦里，他一切也就含含糊糊，不能加以追问，便当真跑到西门外去。到了那儿一看，没有公案，没有席棚，看热闹的人一个也没有。除了几只狗在敞坪里相咬以外，只有个染坊中人，挑了一担白布，在干牛屎堆旁歇憩。一切全不像就要杀人的情形。看看天，天上白日朗朗，一只喜鹊正曳着长尾喳喳喳喳从头上飞过去。

老战兵想，“这年代还杀人吗？真是做梦吗？”

敞坪过去一点有条小小溪流，几个小学生正在水中拾石头捉虾子玩，各把书包搁在干牛粪堆上。老战兵一看，全是北门里小学校的学生，走过去同他们说话：

“小先生，小先生，还不赶快走，这里要杀人了！”

几个小孩子一齐抬起头来笑着，

“什么，要杀谁？谁告诉你的？”

老战兵心想，“真是做梦吗？”看看那染坊晒布的正想把白布在坪中摊开，老战兵又去同他说话，

“染匠师傅，你把布拿开，不要在这里晒布，这里就要杀人！”

染匠师傅同小学生一样，毫不在意，且同样笑笑的问道：

“杀什么？你怎么知道？”

老战兵心想，“当真是梦么？今天杀谁，我怎么知道？当真是梦我见谁就杀谁。”

正预备回城里去看看，还不到城门边，只听得有喇叭吹冲锋号。当真要杀人了。队伍已出城，一转湾就快到了。老战兵迷迷胡胡赶忙向坪子中央跑去。一会子队伍到了地，匆促而沉默的散开成一大圈，各人皆举起枪来向外作预备放姿势，果然有两个年纪轻轻的人被绑着跪在坪子里。并且一个是男人，一个是女人，脸色白僵僵的，一瞥之下这两个人脸孔都似乎很熟习，匆剧间想不起这两人如此面善的理由。一个骑马的官员，手持令箭在圈子外土阜下监斩。老战兵还以为是梦，迷迷胡胡

走过去向监斩官请示。另外一个兵士，却拖他的手，“老家伙，一刀一个，赶快赶快!”

他便走到人犯身边去，擦擦两下，两颗头颅都落了地。见了喷出的血，他觉得这梦快要完结了，一种习惯的力量使他记起三十年前的老规矩，头也不回，拔脚就跑。跑到城隍庙，正有一群妇女在那里敬神，庙祝哗哗的摇着签筒。老战兵不管如何，一冲进来爬在地下就只是磕头，且向神桌下钻去。庙里人见着那么一个人，手执一把血淋淋的大刀，以为不是谋杀犯也就是杀老婆的疯子，吓得要命，忙跑到大街上去喊叫街坊。

一会儿，从法场上追来的人也赶到了，同大街上的闲人七嘴八舌一说，皆知道他是守北门城的老头子，皆知道他杀了人，且同时断定他已发了疯。原来城隍庙的老庙祝早已死了，本城人年长的也早已死尽了，谁也不注意到这个老规矩，谁也不知道当地有这个老规矩了。

人既然已发疯，手中又拿了那么一把凶刀，谁进庙里去说不定谁就得挨那么一刀，于是大家把庙门即刻倒扣起来，想办法准备捕捉疯子。

老战兵躲在神桌下，只听得外面人声杂乱，究竟是什么原因完全弄不明白。等了许久，不见县知事到来，心里极乱，又不知走出去好还是不走出去好。

再过一会儿，听到庙门外有人拉枪机柄，子弹上了红槽。又听到一个很熟悉的妇人声音说，“进去不得，

进去不得，他有一把刀!”接着就是那个副官声音，“不要怕，不要怕，我们有枪！一见这疯子，尽管开枪打死他!”

老战兵心中又急又乱，不知如何是好，只是迷迷胡胡的想，“这真是个怕人的梦!”

接着就有人开了庙门，在门前大声喝着，却不进来。且依旧搬动枪机，俨然即刻就要开枪的神气。许多熟人的声音也听得很分明。其中还有一个皮匠说话。

又听那副官说，“进去！打死这疯子!”

老战兵急了，大声嚷着:“嗨嗨，城隍老爷，这是怎么的！这是怎么的!”外边人正嚷闹着，似乎谁也不听见这些话。

门外兵士虽吵吵闹闹，谁都是性命一条，谁也不敢冒险当先闯进庙中去。

人丛中忽然不知谁个厉声喊道：“疯子，把刀丢出来，不然我们就开枪了!”

老战兵想，“这不成，这梦做下去实在怕人!”他不愿意在梦里被乱枪打死。他实在受不住了。接着那把刀果然啷的一声响抛到阶沿上去了。一个兵士冒着大险抢步而前，把刀检起。其余人众见凶器已得，不足畏惧，齐向庙中一拥而进。

老战兵于是被人捉住，胡胡涂涂痛打了一顿，且被五花大绑起来吊在廊柱上。他看看远近围绕在身边像有好儿百人，自己还是不明白做了些什么错事，为什么人家把他当疯子，且不知等会儿有什么结果。眼前一切已证明不是梦里，那么刚才杀人的事也应当是真事了。多年以来本地就不杀人，那么自己当真疯了吗？一切疑问在脑子里转着，终究弄不出个头绪。

有个人闪不知从老战兵背后倾了一桶脏水，从头到脚都被脏水淋透。大家哄然大笑起来。老战兵又惊又气，回头一看原来捉弄他的正是本城卖臭豆豉的王跰子，倒了水还正咧着嘴得意哩。老战兵十分愤怒，破口大骂：“王五，你个狗肏的，今天你也来欺侮老祖宗！”

大家又哄然笑将起来。副官听他的说话，以为这疯子被水浇醒，已不再痰迷心窍了，方走近他身边，问他为什么杀了人就发疯跑到城隍庙里来，究竟见了什么鬼，闯了什么邪气。

“为什么？你不明白规矩？你们叫我办案，办了案我照规矩来自首，你们一群人追来，要枪毙我，差点儿我不被乱枪打死！你们做得好，做得好，把我当疯子！你们就是一群鬼。还有什么鬼？我问你！……”

……

军部玩新花样，处决两个共产党，不用枪决，来一个非常手段，要守城门的老刽子手把两个人斩首示众。可是老战兵却不明白衙门为什么要他去杀那两个年青人。那一对被杀头的，原来就是北门里小学校两个小学教员。

小学校接事的还不来，北门城管锁钥的职务就出了缺——老战兵死了。军队里于是流行着那个“最后一个刽子手”的笑话，无人不知，并且还依然传说那家伙是痰迷心窍白日见鬼吓死的。

烟 斗

下午五点钟，王同志从被服厂出来到了大街上。

四点钟左右，稽查股办事室中，那个像是怜悯这大千世界，无时不用着一双忧愁眼睛看人的总稽查，正同他谈话。他站在那要人办事桌前面，心中三四五六不定，那个人，一面做些别的事，一面随意询问着这样那样，他就谨谨慎慎一一答应。有时无意中反质那个人一句，因为话语分量略重，常常使那汉子仿佛从梦中醒转身来，更忧愁的瞅着他，没有什么回答，就像是表示“已经够了，不许多言”的神气，他这样在稽查室中整整消磨了一点钟，到后一切已问清楚，那总稽查才说“王同志，我们事明天再谈，”他就出来了。

到了街上，他仍然不忘记那些质问的话语。记起那总稽查的询问，同时那个人很可笑的极端忧郁的神态，也重现到他的回想上来。他把平时走路的习惯稍稍变更了，因为那询问意义，过细想来却并不如那汉子本身可笑。

平时他欢喜在一些洋货铺子前面站站，又很满意那些烟铺玻璃窗里陈列的深红色大小烟斗，以及灰色赭色的小牛皮烟荷包。他虽然不能够从这样东西上花个三块五块钱，却因为特别关心，那些东西的价值，每件都记得清楚明白。他站在窗外时，一面欣赏那些精致的烟具，一面就把那系在物品上面小小圆纸片，用铅笔写好的洋码弄得清清楚楚，间或有另外什么人也挨近窗边，对烟斗引起了同样趣味，却有想明白这东西价钱的神气——不消说，那时恰是系在货物上的小纸片有字一面覆着的时候，——他先看看这个人，看出不是本地的空头了，就像是为烟店花钱雇来职员那么热心亲切的来为另一人解释，第某号定价若干，某号烟斗又如何与某号烟丝袋相配。他毫不自私，恰恰把自己所欢喜的都指点给了别人。更不担心别人万一看中了意，把这烟斗买去。

从这些小事上，就可以看出这汉子的为人可爱处。但今天他却不再注意烟斗烟袋了。虽然从那铺子前面过身，见有人正在那里欣赏烟斗，也不把脚步稍停，来为人解释价钱作义务顾问了。

想起了稽查处受盘问的事情，他的心情起了小小变动。

他只想回转家里去，似乎一到了家，向那小小住房中唯一的一张旧木太师椅上一坐，面对单色总理遗相，和壁上挂的石印五彩汉寿亭侯关云长像，以及站立在汉寿亭侯身后露出一个满脸野草似的胡子大睁圆眼的周仓憨样子，在这个相熟的环境中，心一定，凡事就有了解决希望了。

一回想起稽查室的一席话，他心被搅乱了。他为人心平气和，不敢惹事生非，为甚么那稽查长把他喊去，问他“属于何党”这件事？为甚么还盘问在“工厂办事以外还做些什么事”的话？为甚么同时还用着那全然绝望的眼睛，像非常悲悯的瞅着自己？经稽查长一问，他一面自然得诚诚实实的把自己属于办事以外的许多行为都告给那要人，他因为那稽查长似乎不需要知道从他工厂回家中路上那一段情形，所以他生活上一切几几乎都说尽了，却不曾把留恋到烟铺外面的一件事提起。他隐昧了这样一件小小秘密，那稽查长自然全不注意。问题不是这件事。他心乱的却是正当那人问他属于何党何派时，他记起了三天前所抄写的一件公文，知道开除了一个同志，这办事人开除的详细理由虽不明白，但那考语上面股长却加了一行“××是××份子。”他知道近来总经理和副理事长属的党系，总以为这人被开除原因，完全是股长批的结果。因为派别不同，被服厂虽属国有，然而小组织的势力近日在任何事业任何机关中，都明目张胆的活动，既然与厂长系统不同，随时就有被开除的危险。因此一来，他就有点软弱，仿佛非赶忙回到住处，想不出保护自己的方法。

他在厂中每月拿薪津四十四元。每日的职务是低着头流汗抄写册表公事，除了例假平时不能一日过九点钟到厂。劳作与报酬之不相称，正如其他地方其他机关的下级办事人一样，有时看来，真为这些人的忍耐服从种种美德惊讶。因为生活的羁绊，一月只能拿这样一点点钱，所住的地方又是生活程度最高的地方。照例这些人虽有不少在另一时也受过很好的教育，或对党务尽过力，有过相当的训练，但革命成功的今日，他们却只有一天一天愚蠢下来，将反抗的思想转入到拥护何人即可以生活的打算上，度着一种很可悲的岁月了。在这样情形下的他，平庸无能显着旧时代衙门中公务人员的性格，无事时但把值不到十块钱的烟斗作为一种幸福的企求，稍有风声，又为事业动摇感到一种不遑宁处的惶恐，也是很自然的了。

回到了家里，他没有事作，等候包饭处送饭来，就把一册《古诗选》取出来读一读。左太冲《咏史》，阮步兵《述怀》，信手翻去，信口来读，希望从古人诗句中得到一点安慰，忘记公文程式。正咿咿哦哦读时，那赤膊赤脚肮脏到极点的小子，从楼梯口出现，站在他房外轻轻的叩着门喊，“先生先生饭来了！”正读着《前出塞》诗的他，仍然用读诗的声音说，“小孩，饭拿进来！”肮脏小子推门进到再不能容第三个来人的小亭子间，连汤带水把两个仿佛从十里外拿来的冰冷的下饭菜，放在预先铺了一张《申报》纸的方桌上去，病猫似的走了，他就开始吃饭。饭一吃过，收了碗放到门外梯边，等那孩子来取。这时候，二房东已经把电灯总开关开放，他开了灯，在灯下便一面用那还是两年前到汉口花六毛钱买来的烟斗，吸着乌丝杂拌烟，一面幻想起什么时候换一个好烟斗一类事情。

他的日子过得并不与其余下级办事人两样，说起来也就并不可以引起他人注意和自己注意的理由。不过今天实在不同了一点，他自己不能不注意到自己这些情形来了。

他觉得心上画圈儿老不安宁，吃过了饭，看书无意思，吸烟也似乎无意思。

问题是：假如明天到厂就有了知会，停了职，此后怎么办？

想了半天，没有得到解决。墙上的总理不做声，汉寿亭侯也不做声，周仓虽然平素莽憨著名，这时节对他却完全没有帮助。仿佛诸事已定，无可挽回。

一切真好像无可挽救，才作退一步想。他身边还积得有六十五块大洋钱，是每月三块两块那么积下的。因为这钱，他隐约在自己将来生活上看出了一点光明。他可以拿这个钱到北平去。他想，那里是旧都，不比这势利地方。……他还想，那里或者党也如地方一样，旧的好处总还保留了一些。到了那里，找得一个两个熟人，同去区部报到，或者可以希望得到一点比这里反而较有希望的工作。这时既不以为自己的希望是愚蠢的希望，就对于停职的事稍稍宽了心。

……总理很光荣的死了，而且很热闹的埋了，没有死的为了××而活，为了××而……这样胡胡涂涂的想下去，便睡着了。

第二天，因为睡眠极好，身心已健康了些，昨天事仿佛忘记了，仍然按时到厂中去，坐在自己原有位置上，等候科长把应办公事发下来，便动手作事。纸预备好了，墨磨好了，还无事可作，就用吸墨纸包了铜笔帽擦着，三个铜笔帽都闪着夺目的银光。

一个办公室中同事全来到了，只有科长还不来。

他想起了昨天的事，询问近身一张桌上周同志：

“周同志，昨天稽查长叫你过去问话没有?”

周同志不懂这句话的意义，答非所问。他说他不曾作错什么事，不会过稽查股去。

“你听说我们这里什么风声没有？我好像听说改组……”

“这事情可不明白。你呢?”

他想了一下，抿口莞尔而笑。

笑过后又复茫然如有所失，因为他仿佛已经被停了职，今天是最后到这里来的一天了。他忽然向那同事说，

“我要走了。”

“要高升么?”

“那不是。恐怕非走不可。因为我是个××，你知道的。和老总不同系，我们老总是×××。古人说：‘道不同不相为谋，’不相为谋，那就只各自挟卵走路。”

“你到甚么地方去?”

“远了，我想过北平，因为余叔岩杨小楼……——”

“一定要去么，那我来饯行，明天还是后天到福兴居吃馆子，自己定日子罢。”

“不忙。不一定!”

“还不批准么?”

“我不是告假。”

“但不听说要换什么人，你不要神经过敏。”

“昨天有人把我叫到稽查处去。问了半天。”

因为照习惯，没有什么问题的人，是不会叫到那地方取供问话的。所以听到他被问了许多，周同志也觉得有点不对了，才开始注意他那要过北平的话中意义。

周同志用着一个下级办事员照例对于党对于一切所能发生的小小牢骚，发挥着那种很可怜的无用议论，什么“应当澈底改组呀，”“应当拥护某同志回国呀，”“应当打倒某某恶化势力呀，”完全一些空话。这样说着，一面像是安慰了王同事，一面自己胸中也就廓然一清了。

一会儿，科长来了。把帽脱了。大衣脱了。口含着淡黄色总统牌雪茄烟，大踏步到桌边去，开始办公。年纪还轻的科长，完全如旧官僚习气，大声喝着应答稍迟的工友，把一叠拟稿妥贴应当送过老总处画行的公文推到工友手上去。两手环抱公文的公丁，弯着腰一句话不说，从房中出去了。（这公丁，今天比平时不同，留到王同志脑中的是一个灰色憔悴的影子。）他还得等候那公丁返身时才有公文可抄，就在这空暇中生出平常所没有的对科长的反感。好像正面侧面全看过了，这科长都不应当这样很自然的把旧时代官僚资本家的脾气拿来对待厂中的工友。况且还据说是从外国受着好教育回来，一面在平时尚常常以极左倾同志自居，有这样子脾气就尤其不合理。

可是这科长的行为，并不是今天才如此，唯独在今天，才为他注意到罢了。他虽然极不平的把那被科长凌辱了的工友用同情的眼光送出去，仍然得小心听着那科长呼唤。他猜想科长今天必定有什么话对他说，而所说到的又必与自己职务相关，就略显矜持在自己位置上，且准备着问题一发生时，如何就可以在一句反质言语中，做到仿佛一击使这科长感到难堪的事。

这些无言语的愤怒，这些愚而不智的计划，在科长那一面说来，当然是意外，决没料想到。

同事之一被科长“周同志”“周同志”的喊过去，把科长请客单一叠拿上手退回原处后，咯咯咯咯的磨着墨，砚石就在桌上发着单调的极端无聊的声音。事情不要他作，其中好像就有一种特别原因，他把这原因仍然放到自已要停职那一件事上去。他明白科长是××××而他却是××。科长口上喊他“同志，”就像出于十分勉强。

过了许久，送文件的公丁还不曾回来，与往日情形似乎稍稍不同。

科长扬扬长长走过三楼副理事长室去了。

他听科长皮鞋声音已上了楼梯，就叫唤坐在前面的同事，

“周同志，又是请客帖子？”

“王同志，哈，这一叠！”说时这办事人举起那未曾写过的请客帖，眉毛略皱，表示接受这份意外差事近于小小冤屈。

“请他些什么人？”

“谁知道？让我念念罢，（这人就把请客柬一纸总单念着）王处长仙舟，周团长篷甫，宋委员次珊……好热闹事情，下星期四，七点半，这一场热闹恐怕要两个月薪水罢。”

他听同事数着客单上的名字，且望到这同志而兼同事脸上的颜色，不知如何一来却对这人也生出种极大反感。便显得略略生气的说，

“周同志，这事你可做可不做，为什么不拒绝这件

差事?”

周同志笑着，好像不明白他说拒绝的理由。他对那同志脸上望了一会，再低头自己把砚腹注了多量的水，露着肘，咯咯咯咯磨起墨来了。他用力磨墨，不许自己想别的事。一会儿，科长回来了，公丁也回来了，还依然用力把墨磨着。

科长像是刚从副理事长处来，对他有一种不利处置，故意作成和气异常的样子，把公文亲自送到他桌边来。若在往日这种事他将引为一种荣宠，今天却不以为意。

科长说：“王同志，你今天有什么事情在心上，好像不大高兴?”

他斜眼看了科长一眼，表示不需要这种安慰。

科长不以为意，又像是故意取笑他，“王同志，我听理事长说，似乎你有调到稽查股的事情。这是升级，你不知道这件事么?”

“升级么，要走就走。我姓王的革命十年，什么不见过——”像有什么东西咽在喉边，说不下去了。

他显然是在同科长开始作一种反抗，大有“拉倒”的神气。可是科长是故作夷然无事，笑着说，“王同志，升级是可贺喜的一件事!”

那个在写请客柬的同事，听到了，记起先前他所说的要走的话，暂时放下了工作。“王同志，科长说您高升，这应当是真事。”

他回过头来看着写客单的周同志，努力装着一种近于报仇的刻毒样子，毫不节制自己的感情说，

“我又不会巴结人，帮人白尽过义务，那里会得人在上司前保举。”

“王同志，你怎么说……”

“我怎么样？你说我怎么的？姓王的顶天立地，声家清白，不吸雅片烟，不靠裙带……”

科长说，“王同志，你今天……”

“总而言之要走就走，谁也不想这里养老，把这事当铁饭碗。”

办公室空气骤见紧张，使三个人心中都非常不安。那年青科长，对这办事员今天的脾气有点异常，还以为是先前说到升级使他疑心受了讥笑，以为是运动旁人的结果。写请客柬的周同志，则以为王同志是在讥诮他代科长办私事。至于他自己呢，又以为是两人皆知道了他行将停职，故意把被叫到稽查股问话的事情提出来，作为开心嘲笑。

风波无端而来，使三人都误会了。年青的科长，不欲再在这不愉快事情上加以解释，觉得这小办事员没有受过多少教育，不能在分派公文外多谈一句话，就气势不凡的坐到自己桌上办公去了。

他把科长所分派的三件公函同两件答复外省询问购买呢制军服办法的回信原稿一一看着，心中非常颓丧。

科长妄自尊大的神气，尤给他心中难堪。他想在通知来到以前，应当如何保留自己一点人格。他想用言语来挽回他认为在科长面前已经失去的尊严。因为他自觉是一个忠实同志，一个因为不能同流合污被人排挤的人物。

要他把公文如平时一般做下去，在他是办不到的事。他一面看着公事，却一面想他的心事。

过一会科长在屋角一方很冷淡的用着完全上司的口吻，不自然的客气的向他说话，

“王同志，那两件信你写好了，请先送过来。那是急要的两件，今天就得寄发。”

本来已经在开始动手了，一听这话，反而把笔捏着不接写下去了。他有得到一个同科长挺嘴的机会。他喊那正在低头写“月之几日”请客帖的同事，

“周同志，我同你说，若果你那请客帖不急要，这两件公文，我们两个人一个办一件如何?”

那同事听到了，望着科长。科长也听到了，只鼻子动动冷冷的笑着。

他这时节已准备一切决裂，索性把写就的一张信笺捏成一团丢到桌下去，曲肘在桌上，扶着个大头，抓弄头上的短发。

科长沉默的把烟含在口里，像在计划一种对于这不敬的职员的处置，另一老同事本来是同他站在一条线上，对于被驱使有着同忾，这时节仿佛被他一说，也站到科

长一边去了。

大家无话可说，都非常勉强按捺到自己火性。科长虽说年少气甚，然而因为年青，仍然没有失去作学生的本色，这时节也就不知道要怎样拿出所谓上司的身分，只好沉默着。

总务股送通知的人来了。照例接过通知，应在回单簿上盖章，是王同志办的事，今天却由那周同志代做。同事把通知接过手，大略一看，不作声，送给科长去了。

看过通知的科长，冷笑着，把通知随意搁放在一旁。过了好一会才开口说道，

“王同志，今天你是最后到这里了，你高升了。过去半年，大家能够同心合作努力，真真难得。你高升了。”

他明白对于他停职的处分通知已来了，脸发着烧，放下了笔，走到科长这一面来，看通知上所写的是些什么考语。

看过通知他愣然了。

他明白他错误了。因为通知单上写得是这汉子意外的几句话。王世杰同志，忠于职务，着调稽查股，月薪照原数支领另加二十四元。……写得非常明白，毫不含忽。

忽然感着兴奋，他望着科长，“科长，科长，我真是个老胡涂，我真是个王八蛋。”科长不作声，掉过头去

看一件公文。

“我错了，科长。我以为是因为……被停职!”

“赶快把事情备好，等着你!”

一天风云消散，仿佛为补救自己在科长面前的过失，把公文寄完后，他咬着下唇还很高兴的为科长写一部分请客柬。一面写，一面心上说，“我真是个呆子！只胡思乱想!”就不惜在一些过去了的事务上找出许多自嘲的故事。且痛切的想着近于赊望的幸福。在街窗的一面，留连于烟斗烟袋那些事，也全想到了。

第二天，他的办公地当真移到稽查股了，因为一点事情过××科，照习惯好像作客，见旧科长和同事时，他口中却衔着一个芝麻黑色不灰木烟斗，颜色很新。周同志问，“王同志，甚么时候买的，多少钱?”

他不答话，却把一个崭新的灰色皮包从中山装口袋里掏出，很细致的拉着那皮包上的镀银细炼条，皮包开了口，同事才知道是贮烟丝的荷包。

因为纪念这升级，他当天晚上下了大大决心，将贮蓄总数六分之一的十元数目，买了一套吸烟用具了。若果这个人善于回忆自己心情上的矛盾时，在这烟斗上，他将记忆到一些近于很可笑的蠢事。北平近来怎么样了呢？不管它怎么样，他没有旁想过北平了。有了这样精细烟具的他，风度气概都与前些日子大不相同了。

失　业

还不是忙的时候，局子里怪清静，人怪闲。新近接事不久的长途电话局管理员大忍，坐在墙角隅，管着那个传递文明的古怪机器，白瓷盘儿，铜条子儿，钉儿点儿，线儿丝儿，以及一串小灯泡，心中纳闷。他有点睡眠不足，消化不良，又似乎正在生谁的气。是的，他有点生气。一份新的生活压着他很沉重，很紧，他为这个生气。他正在写他的日记，记载昨天下午一个兵士打电话催烟款，和商贩相骂的一段情形。军人与烟贩合作，把毒物派销到县里，商人照例得个二八回扣。到时烟款不能缴足，一面急于要钱，一面无从设法，结果说不清，只得破口大骂。就是那么会事！和这种事相差不多的，每天有一件两件。

那日记上写着一片胡涂的言语，写了一段，他自己看看，很生气，还有继续应写的也不再写了。就顺手把前些日子写下的翻开来看看。

……说不明白是什么气运，我竟会来到这小县分里作电话局管理员。做这件事得有多大一个肚子，才装得下所受的闷气！这也是人干的？纵横数百里内牵上从外洋来的铜丝，各处冲要地方装上这种复杂接线机同传话机，“哈罗”，“哈罗”，“好呀”，“好呀”，工程司把“文明利器”装好，通了话，已无毛病，回省城同哇哇洋行办交涉分回扣去了。于是这方面择吉开张，县长，传达，肉铺掌柜的，王三家蹶子老婆，娘娘庵尼姑，不拘谁一位掏出两角钱，“先生，你背章程给我听，接……”“我这里只八十四个铜子，少四大枚，先生你做好让我几个钱，接一接，我少说句话！”你要他自己读章程罢，不成，教育还不普及，王大娘不认识字。你要把钱凑足数吧，可怜的事，那八十四枚还正是各处凑来的。接慢了，那县公署传达会打官腔说你“延误公事”，那怕算印子钱也是公事。还有军队里大爷们的电话，一开口就是：“接线的，你妈个东西，耳朵被鸡巴塞住了？”告他耳朵只是被嘴上的话堵住吧，那就有数。好好的告他原因，这些人可不是要明白“原因”的人。这是些挨骂挨打，立正站岗，剿匪骂娘，每月领三块四毛饷项，毫无正当职业，古里古怪活在中国叫作“副爷”的人物！

这是训练人明白做中国人的一个真的大学校，

我应当学下去，我应当忍耐苦学下去。这职业将告给我中国是什么样子，有些什么，想在中国活下去的人，得明白多数人如何在那里活。……

管理员大忍还只是个年纪二十一岁的小伙子，刚从省立高中毕业，毕业后不即升学，恰好省里注重建设，长途电话网刚成就，公开招考职员，六百人中拔取三十名那么拔萃拔优挑出来。中了选，方分发到这小县城来办事。多少人羡慕这个有保障有出息的好职业，多少人希望这位置却抢不到手！

事实上呢，这职业是宜于为其他人歆羡的。如像那种愿意在社会上多学点，有勇气准备认识“人生”，而又期望将来用他的脑子同手过写作生涯的人，真是一个再好没有的机会了。请想想，难道还有别的人比这个长途电话局管理员的耳朵更有经验？这是一个地方腐烂的灵魂交换总机关，什么下流话瞒得过接话人，什么新鲜古怪事不知道。尤其是那几个衙门，凡关于衙门里的玩意儿，纳贿，以多报少，作奸犯科，打官司讨价还价，……一切不名誉而在中国又公认为极其自然的种种事情，需由电话中打商量办交涉的，谁都明白这事瞒天瞒地可不能瞒电话局。

也就因此，一县里各机关全愿意同电话局要好，把电话局做个心腹知己，对管理员一面无理麻烦，一面客客气气。

至于平民，则这些人正因为无知识，还不配使用这个文明利器，虽事事同管理员打麻烦，然而对于管理员也怀了一种畏惧，正如同他们对于邮政局电报局的办事人员一样，不怕官，只怕管。电话局虽两毛钱一回给她们传话，却可以管住他们说话。用“没有空线”和“时候到了”对抗那种好麻烦人的人，不管你是乡巴老或是城里人，奈何他不得。使电话局职员束手的是兵，但兵的事情却全盘在电话局管理人手里。

这管理员想起昨天军队剿匪的报告，心里大不舒服。看看时间还差三点多钟方有生意忙，就走出了办事室，到外面去看看街。电话局对面一家面粉铺，一个大胖子掌柜站在一张板凳上，小学徒扶着凳脚，正准备作周年纪念大减价的纸招。几个无事混的闲汉子，皆在街上袖手看热闹。街东有一个水塘，一妇人正赶鸭子过街，似乎送鸭子下水。一个穿灰军装的副爷从弄里跑出来，装作很惊讶的神气，对那三只鸭子看了一会，看中了意后，又看看妇人，便大踏步走过去追赶那鸭子，一面说，

“嗨，老子那里找不到你，你这扁毛畜生会飞，居然飞到这个地方来了！”

妇人一看情形不对，就追着兵士身后说，“怎么，怎么，你抢我鸭子！不成，这是我的！”

兵士眼尖手快，已捞着一只白毛鸭子的颈子，“这

是我的！你偷我的鸭子，我要问你个收买赃物的……”

妇人大嚷，“不成，不成，副爷，你不能拿走，这是我的！我养大的！”

那兵士也便同样大声嚷着，“你养大的，你个婊子婆娘，偷了我鸭子还说谎，同我过东岳宫去！”

东岳宫是十殿阎王的衙门，如今却正驻扎有四十五军百×十团队伍。妇人稍稍楞了一阵，那兵士乘此抱着鸭子却走去了。妇人于是坐在塘边幽幽的哭将起来，看热闹的汉子走过妇人身边去，有些还笑笑的，看妇人拭眼泪，却和一个人说什么。

电话局那一个也走过妇人身边去，妇人却不哭了。有谁开口问：“这鸭子是你的？”

妇人说：“怎么不是我的！”

“是你的你去要回来！”

“我怕他们打我。算了，青天白日见鬼。”妇人仿佛用宿命观安慰着自己，一面便轻轻的骂着：“粮子上人全是抢匪，强盗，挨刀砍的，枪打的，”接着且扬起响杆，口中喽喽喽喽赶那两只鸭子下塘去了。

电话局管理员本预备问问妇人的，见妇人情形便不再说什么，就走回局里去。

回到电话机旁时，心里想，“这女子一定是个土娼，夜里兵士抱了鸭子来睡觉，沾了便宜，大白天又把鸭子捉回去，不然岂有大白天抢鸭子的道理。”

看看时间还早，心中为先前一件事很不愉快，终想走出去问问那个妇人，鸭子究竟是被兵士抢了，还是她先用下体抢兵士鸭子，到后方被兵士用武力索回。一到局门外，便见着辛夷集乡长，正骑了匹健白乌云盖雪大骡子来到局门前。两人原认识一面，管理员大忍还不曾开口，乡长就在骡上欠身打拱说：

“先生，早，早，早！”

“乡长早！”

乡长一下了骡子又说，“麻烦，请接接我们集里。”

线接好了，乡长叫集里师爷说话，电话局那一个才知道这个乡长是昨天上城来报告集里有个青年土匪李三，请派队去捉匪的。军队大清早就出发了，一个大队长，两个副队长，一百二十名副爷。这乡长认真办事，还嘱咐师爷队伍由他招待！这不是儿戏，一百二十人的食量，实在可观！

电话打过后，乡长说说天气人事，匆匆跨上骡子赶回辛夷集去了。电话局管理员大忍望着乡长骡后跟了个乡下人，挑了那一大担粉条肉菜，便自言自语说，“积点德，让这个姓李的走路，不是省事多了吗？”他知道队伍一出发，不止乡长办招待是件平民费钱的差事，到后还有那个报告，那种由电话传递到上峰，照例夸张不近人情的战事报告，结果才到凯旋献俘那一套。这一切皆俨然有个公式，不可免的，因为一切是“习惯”，也就是“命运”。

到了下午，辛夷集电话果然来了。大队长的口气，叫接公署。虽把线转接县政府，局里的办事人还是一一听得分明。这报告尚得局里抄录一份，留备存查。

“……该李三率领匪众，顽强桃拒，经士兵奋勇上前，将其擒获。余匪五名见势不佳，方各向……逃去。此役共用去子弹约六百粒，坏枪一枝，我部队幸无伤亡。……”

一会儿，县公署的电话又接专员公署，县长同专员说话，

“……一闻报告，职即亲率部队下乡……共耗费子弹约一千粒。”

好生意！抄了三次同样报告，不到的说到，没有的说有，战事既越说越厉害，子弹耗费也就越说越多。无怪乎报上说这些人剿匪那么认真，下乡那么勤快！

第二天，耳根一撮毛的大队长，最先来到电话局。

“辛苦，辛苦！队长下乡辛苦！”

“那里话，应该的。地方上事不办行吗？你们这边倒真是辛苦！这局里做生意营业，又得作军事方面的……”

官话打完了，接着说一点私话。

管理员大忍问：“队长，那土匪怎么的？听人说是个了不起的飞檐走壁之徒！”

“唉，别说了，什么张三李三，飞檐走壁好本领。一个瘪小子，就只那么一个瘪小子，不知打那儿发了顺水，冒得两杆盒子，回到家乡来避风。既从不在本乡犯案，也就想不到有人卖他的水。直到队伍围庄时，这小子还呆呆的在秫秸上晒太阳。本地不做案，有什么亏心？吓贺！来了，小子明白有人走水，队伍是来弄他的时候，就向秫垛上爬，好的，两杆盒子皆上了红槽，拍拍拍动了手。这不容易办吗？一百二十个对一个，活捉张三，水缸里摸田螺，还费事？‘好兄弟，不要火，寨子围上了。把盒子丢下来，有话好说。’这小子看看，当真围上了，人识相，两杆盒子全抛下来了。人缚好了后拴在马槽旁打了一顿。……周乡长说：‘队长，队长，辛苦辛苦，盒子留下来，我改天另外呈报县里。这是一百二十块洋钱，弟兄喝茶。你我好哥子弟兄，那个那个好说话。’……”

“多大年岁？”

“二十二岁，好一条汉子！”

“解上城里来了吗？”

“嗨，解上城来干吗？我问你。上城里来，那一百二十块钱是做什么用的。”

“那你们报销子弹？”

“一共打了五夹半。”

“嗨，就那个了吗？”

“还不是嚓的一下……不那个，留下个活口有我们好处？先生你真是……”

……

电话局管理员大忍，给他家乡的哥哥写信说：我不干了！我不干了！我不干了！哥哥来信说：不干了吗？好的，咱们想法过北京升学罢，干不了让别人干罢。

于是这个青年人当真就失了业。

（附注：这篇文章刊载于《水星》廿四年第二卷，是根据一个不相识的朋友作品改写成的，不敢掠美。）

知 识

哲学硕士张六吉，一个长江中部某处小地主的独生子。家中那份财产能够由他一手支配时，年龄恰满二十岁。那年正是“五四运动”的一年。看了几个月上海北京报纸，把这个青年人的心完全弄乱了。他觉得在小城里蹾下毫无意义，因此弄了一笔钱，离开了家乡。照当时的流行口语说来，这个人是“觉悟”了的分子，人已觉悟，预备到广大的世界来奋斗的。

他出外目的既在寻求知识，十多年来所得到的知识，当真也就很不少了。凡是好“知识”他差不多都知道了一点。在国内大学毕业后又出国在某国一个极负盛名的大学校里，得了他那个学位。他的论文为“人生哲学”，题目就证明了他对于人生问题这方面知识的深邃。他的学问的成就，多亏得是那大学校研究院一个导师，尽力指导，那是个世界知名的老博士。他信仰这个人如一个神。

他同许多人一样，出了学校回国来无法插进社会。想把自己所学贡献给社会，一时节却找不着相当事业。为人纵好，社会一切注重在习惯，可不要你那么一个好人。

他心想：没有机会留在大都市里，不妨事，不如回到我那个“野蛮”家乡去看看吧。那野蛮家乡，正因为在他印象中的确十分野蛮，平时他深怕提起，也从不梦想到有一天会再回转那个家乡。但如今却准备下乡了。

他记起自己，记起家乡，觉得有点忧郁。他担心回到家乡去无法生活。他以为一面是一群毫无教育的乡下人，一面是他自己。要说话，无人了解，有意见，无人来倾听这个意见。这自然不成。

他觉得孤独。一个人自觉知识过于丰富超越一切时，自然极容易陷于这种孤独里。他想起尼采聊以自慰。离家乡越近时，他的“超人”感觉也越浓厚。

离家乡三天路上，到了一个山坳里，见一坝山田中有个老农夫在那里锄草，天气既热，十分疲累，大路旁树荫下却躺了个青年男子，从从容容在那儿睡觉。他便休息下来，同那老农攀谈：

“天气热，你这个人年纪一大把了，怎不休息休息？”

“要吃的，无办法，热也不碍事！”

“你怎不要那小伙子帮一手，却尽他躺在树荫下睡觉，是什么意思?”

那老的仍然同先前一模一样的，从从容容的说道：“他不是睡觉。他死了。先前一会儿被烙铁头毒蛇咬死了。”

他吓了一大跳，过细看看身边躺下这一个，那小子鼻端上正有个很大麻苍蝇。果然人已死掉了。赶忙问：“这是谁?”

老农夫神气依然很平静，很从容，用手抹了抹额上汗水，走过树荫下来吸烟。“他是我的儿子。”说时一面捞了一手，把苍蝇歹住了，摘下一张桐木叶，盖到死者脸上去。

“是你的儿子！你说的是当真？儿子死了你不哭，你这个老古怪！……”他心想着，可不曾说出口来。

但那点神气却被老农夫看到了，像自言自语，又像同城里那一个说话的神气。

“世界上那有不死的人。天地旱捞我们就得饿死，军队下乡土匪过境我们又得磨死。好容易活下来！一死也就完事了。人死了，我坐下来哭他，让草在田里长，好主意!”

他眼看到老农夫的样子，要再说几句话也说不出口，老农夫却又下田赶他的活去了。

他临走时，在田中的那一个见他已上了路，就说：

“大爷，大爷，你过前面寨子，注意一下，第三家门前有个土坪坝，就是我的家。我姓刘，名叫老刘，见我老婆请就便告她一声，说冬福死了，送饭时送一个人的饭。”

他心想，“你这老古怪不慈爱的老糊涂人！儿子被蛇咬死了，竟像看水鸭子打架，事不干己，满不在乎，还有心吃中饭，还吝啬另一个人的中饭！”

到周家大寨时，在一个空坪坝里，果然看到两个妇人正在一付磨石旁糜碎豆子。他问两个妇人，刘家住在什么地方。两个妇人同时开口皆说自己便是刘家人，且询问有什么事情找刘家人。

“我并无别的事情，只是来传个话儿。”他说得那么从容，因为他记起那个家主在意外不幸中的神气。接著他大声说道：“你们家中儿子被蛇咬死了！”

他看看两个妇人又说下去，“那小伙子被蛇咬后死在大路旁。你们当家的要我捎个信来……。”

两个妇人听完了这消息时，颜色不变，神气自如，表示已知道了这件事情，轻轻的答应了一个“哦”字。仍然不离开那磨石，还是把泡在木桶里的豆子，一瓢一瓢送进石孔里去，慢慢的转动那磨石。

那分从容使传话的十分不平。他说，“这是怎么的？你们不懂我说的话？不相信我的话？你们去看看，是不是当真有个人死在那里！”

年纪老些的妇人说，“怎不明不白？怎不相信？死了的是我儿子，不死的是我丈夫。两人下田一人被毒蛇咬死了，这自然是件真事！”

“你不伤心，这件事对于你一定——”

“我伤什么心？天旱地捞我们就得饿死，军队下乡土匪过境我们又得磨死。好容易活下来！死了不是完了？人死了，我就坐下来哭，对他有何好处，对我有何益处？”

那老年妇人进家里去给客人倒水喝去了，他就问那个比较年轻的妇人，死者是她什么人。

“他是我的兄弟，我是他的姐姐。”

“你是他的姐姐？两个老的，人老心狠可不用提了。同气连枝的姊弟也不伤心？”

“我为什么伤心？我问你……。”

“你为什么不伤心？我问你。”

“爸爸妈妈生养我们，同那些木簰完全一样。入山斫木，缚成一个大筏。我们一同浮在流水里，在习惯上，就被称为兄弟了。忽然风来雨来，木筏散了，有些下沉，有些漂去，这是常事！”

一会儿，来了一个年纪二十来的乡下人，女的向那男子说：“秋生秋生，你冬福哥哥被蛇咬死了，就是这个先生说的。”

那小子望了望张六吉，“是真的假的？”

“真的！”

"那真糟，家里还有多少事应当作，就不小心给一条蛇咬死！"

张六吉以为这一家人都古怪得不大近人情，只这后生还稍稍有点人性。且看看后生神气很惨，以为一定非常伤心了，一点同情在心上滋长了。

"你难受，是不是？"

"他死了我真难受。"

"怎么样？你有点……"

屋后草积下有母鸡生蛋，生蛋后带了惊讶神气，咯大咯只是叫，飞上了草积。那较年轻的妇人，拖围裙擦手赶过屋后取热鸡蛋去了。

后生家望望陌生人，似乎看出了一点什么，取得了陌生人的信托，就悄悄的说：

"他不能这时就死，他得在家里作事，我才能够到……我那胡涂哥哥死了，不小心，把我们计划完全打破了。……"他且说明这件事原是两人早已约好了的。

他说了一件什么事情？那不用问，反正这件事使张六吉听到真吃了一大惊。乡下人那么诚实，毫不含忽，他不能不相信那乡下人说的话。他心想，"这是真的假的？"同先前在田里所见一样，只需再稍稍注意，就明白一切全是真事了！

……

临走时他自言自语说"这才是我要学的！"到了家

乡后，他第一件事是写信给他那博学多闻的先生说：

“老骗子，你应当死了，你教我十来年书，还不如我那地方一个大字不识的乡下人聪明。你是个法律承认的骗子，所知道的全是活人不用知道的，人必需知道的你却一点不知道！我肯定说你是那么一个大骗子。”

第二件事是把所有书籍全烧掉了。

他就留在那个野蛮家乡里，跟乡下人学他还不曾学过的一切。不多久，且把所有土地分给了做田人。有一天，刘家那小子来找他，两人就走了。走到那儿去，别人都不知道。

也许什么地方忽然多了那么两个人，同样在挨饿，受寒，叫作土匪也成，叫作疯子也成，被一群人追着赶着公处都跑到了，还是活着。

也许一到那里，便倒下死了。反正像老刘说的，死的就尽他死了，活的还是要好好的活。只要能够活下去，这个人大约总会好好的活下去的。

薄　寒

她是本市第×中学的史地教员。

得到一个信，她就哭了。几天来她非常想哭。每月同样的，一到了初十，人便不大高兴，既从不与人发生争执，生活仍然是习惯上的几种：到第三教室去上国语，到西城去赴会，到师大去看老同学，……一切照常，却特别容易生气，容易倦，容易哭。没有人知道她这个脾气。但她要谁知道呢？密司周，密司凌，或者——全没用处。甚么人也不曾得罪她。她没有冤屈，也无须乎要谁体恤或关照。

她把那个来信念着：

……我想死了，这世界我实在没有用处。

……我不同她们玩，又不同他们说，无一个人知道我。

……天气很好。有时冷，有时热，大家都忙。我太闲了。

……我常常想男子都是蠢东西。

信无意思。情感琐碎，观念紊乱。这是一个在山东女子师范作教员的旧日同学写来的信，说的是未嫁人女子极普通的悒郁的心被一种暧昧欲望所烦恼时的种种感觉。

这是节她若写信给谁，也就必然那样说的。她不明白她需要什么，缺少什么。一种固定的工作，一些属于人情通常的过往，一些琐事的消磨，都感到厌烦。平时能发生兴味的，到这时节她也觉得无聊。她应当作什么？凡是女子，对于虚荣，对于金钱，对于衣饰，对于一个半生不熟男子从某一种暧昧意义出发而来的殷勤，她似乎都无用处。她有钱，又有相当的地位。衣服并不与流行的时髦相反。最后，是男子一点爱了。这个更多。

因为仪容在中人以上，同时不缺乏一种好性情，各方面同事，注意集中了。同事男子中，自然就不缺少那伴在路上走时使路人燃烧妒嫉的火的俊伟温存人物。然而这些人却似乎与她隔得很远很远。

同事极多，许多人在她面前都红过脸。许多人因为她一到这学校，成为另一人了。……这些事，她看得很明白。一个年龄过了二十岁的女人，平时既身心健康，获过完全教育的机会，那慧心柔情，在其他事业即无所表现，关于检察男子的心的方向，是照例秉赋着一种特殊本能的。天赋的静柔的气质，更具有对男性特殊的敏感。她看见一切。就因为“看见”，他伤心了。

许多人都在那里做诗写小说，想爱人也需要别人爱他。许多可怜的自白，在杂志上登载出来，勇敢荒唐到使人不敢相信。许多因失恋而自杀的新闻，每日都可见到。社会上一种超跃制度律动，有力的，摇撼到她的心。若是有一种比文字还来得顽固的力量，想征服了她，她是愿意被征服的。她时常想像自己投降到那种近于野蛮的热情下时的光荣。她心上需要一种压迫，这压迫当出之于男子直接的、专私的、无商量余地的那种气概。但是，她的生活中，没有这些遭遇。把这些说为“灾难”时，虽不缺少这遭遇“灾难”的资格，那种真的或仿佛是真的“灾难”，却从不曾来到头上。关于这件事她的过去是一页白纸，简直没有过去。

面前男子一群，微温，多礼貌，整洁，这些东西全是与热情离远的东西。在他们方以为可以胜利奏凯的行为，客气的行径呀，委婉的雅致的书信呀，略带自夸的献媚呀，凡是用在社交场中必须具有绅士风度的行为，都有人作过。出乎意料以外是他们的失败。他们并没有人明白这失败理由。他们都以为一个女人，心上壁垒全不缺少重叠，所谓克服这壁垒的战术者，第一，是“温柔”。第二，还是温柔。一面因为自卫的谨慎，胆小到使女人见来可笑，这温柔有什么用？可以“无用”为基，由“怜悯”而得到女人的倾心相从，在习惯中自然也有不少人，居然如此处置自己到一个幸福乐园中去。然而希望她，那是不行了。她不需要男子什么，就是不需要这种自作多情微温小量的男子。

时已深秋天气。凡把春天同夏天虚度的一切人，幸福的梦，生活锐变的希望，近于荒唐的设计，完全秋天一般衰落了。一切在夏天还缺少勇敢的心，想在她心上培下爱情的种子的男子，到此时来以为这事完全无望，在挫折中度着比本来更悒郁的生活。一切本来尚知道荒唐，或想学荒唐的男子，以为看错了人，承认失败，注意到其他方面去了。春天夏天就没有在某一男子面前解释自己的气力的她，到这时，自然也更无机会了。

她老是在一种荒唐的幻想上驰骋，却从没有把自己生活放在一种具体的梦想上面，也没有把梦想放在一种现实的熟人身上。一切人类的纠纷，正像于她全无关系。她显得有点孤僻，可不在行为孤僻上加以辩护。她不讨厌男子，可不将任何方便颜色给那些孱弱男子。她决不是一个荡妇，可是并不拒绝一种极端的放荡的迫害。她就等候这样的人。她的贞节是为这勇敢的热情的男子保留，也将牺牲到这种迫害上面的。

这时，她哭着。她觉得烦恼。她不能睡。她不愿找人谈话。

只有跑出去，预备一个人到一个可以独自坐下无人纠缠的什么幽僻地方，去大哭一场，把郁积泄尽。

她觉得有点冷，身上的衣太薄，就加上一件夹氅，拿了钱包，有意不让同事中人注意，走出了学校。谁知在校门前就遇到一个同事，向她点头行礼，本来上课时无结结巴巴习气，这时节却结结巴巴的想说什么又说不出口，只做成那不体面的憨笑，拘谨到与年龄衣服皆十分不相称。他问她到什么地方去，意思是若有命令，愿意奉陪。她露着讨嫌的卑视的眼睛望一望，傲然的一笑，就匆匆离开这个地方与这个人了。

到了路上。许多学生见了她，都向她敬礼。她以为二十岁左右的年青人应当卤莽，应当有一颗心在习惯的压力下跃起反抗，应当有些达不到的野心，谁知同事把这些学生教成如他自己一样，也全是想在有礼貌上使人感到好处，全显得近于虚伪和油滑的神气。

见一个学生对她行礼，她就想：又是一个伪君子，感谢你的老师罢。一个蠢东西，一个什么也不懂的东西！行路的学生何尝无那野心扩张为她的美丽所苦恼的人？他们行礼，他们不躲避，何常不是一种不端方的行为的表现？然而人全是那样康健年青的人，为甚么却无一个人能把世俗中所谓“斯文”除去，取一种与道德相悖驰的手段，迸牺牲一切作注，求达到一握手或一拥抱的事？因为名分上是先生，于是连心上的侵犯也不敢，她对于这些无希望的年青人，更感到一种说不分明的嫌恶。

她到大街上去，秋天的街，各处所见全是瓜皮，一种吃剩了的残余，一种渣滓，她感到自己的生活有同样情调，就上了车。

到×××去玩，玩了一阵。看人。看树。看得秋独先的辞枝病叶，在平地上被风所刮，碎步跑去的情形。她又去看鱼，鱼也憔悴了，不知为什么。游人全是绅士。真的绅士则古貌盎然，携妻带妾，儿子成群。假的绅士则脸儿极白，衣裳整洁，眼睛各处溜转不定。她对于假绅士的印象比其他还坏。她故意坐到一个无人的地方去，为假绅士溜转的眼睛见到了，独自或两个，走过来，馋馋如狗的卑鄙的神气，从不知打什么地方学来的孱头行止，心儿紧紧，眼睛微斜，停了一停，看看不是路，仍然又悠悠走去了。其中自然就有不少上等人，不少教授，硕士同学士。他们除了平时很有礼貌以外，就是做这些事。他们就是做恋诗的诗人。他们就是智识阶级。智识把这些人变成如此可怜，如此虚伪。

她又见到一些兵士，来到此地的兵士，也全是规矩到异常可笑，全不与一般人概念中的兵士德性相称。

后来走到温室中去。一些花，从温室中培养成功的，没有强烈的香，也缺少刺目的色，等于那普遍流行的爱情，毫无意思。然而她坐到温室中了。来这里坐下的人少，过路的人却很多，她可以用眼睛看他人的一切。她记起刚才见到的那个军官学校模样的学生，在女人面前走过身时连头也不抬的情形，完全不与平时“奸淫掳掠”的传说中军人相近。军人当真是以杀人放火为生活的么？军人比在城市中培养出来的人还坏么？善于造谣的，有智识做造谣与作恶工具的，所做的事一切比军人合乎情理么？他们的勇敢是打仗。简单的朴素的，为一件看来全无意义的牺牲。他们作过了，并不夸张也不掩饰。他们从不辩解别人所加到他们头上的罪恶，他们无阴谋，也并无预定的计划。他们……

其时又来了一个军人。一个长脸的，有一种乡下人的气分，属于北方人型的汉子。双手插在马裤口袋里，沉沉的脚步，踏着砖地，目向前视，若在思想一种与身体壮伟相称的心事，又过去了。她心上感受一点轻微的压迫。壮观的朴素的美在眼前晃着。她望到这人转了个弯，不见了，像心上掉了一点看不见的东西。她想：这是能杀人的人。想着，汉子却回头了，仍然是沉沉的脚步，踏着砖地，从面前走过。仿佛是每一个脚步的重量全落在她心上。她沉默着，目送这巨大的灰色背影，消失到一个花格子门后面。她仍然想：这是能杀人也能……

寂寞袭上心来了。

仿佛没有其他办法比尽这人来侵犯自己威胁自己一阵更好。

一种荒唐的想像在眼前开展。她觉得她需要那一个军人。

她愿意被人欺骗，愿意被弃，愿意被蹂躏，只要这人是有胆气的人。别人叩头请求还不许可的事，若这人用力量来强迫她时，她甘心投降。她并不迷醉到此后一种幸福来献身于人。她能做的事她不要人感谢。她只是期望一个顽固的人，用顽固的行为加到她身上，损失的分量是不计较的。她要的是与人间本性的对面，因为她，便失去了一切拘束，来做那合乎本性的事。

一种惊心动魄的波澜，一种流泪流血的机会，是她所期待的。但是，什么地方可以寻找这些东西？天是青青的，天并不管这些事。人间充满了虚怯，谨慎，不自然的说谎。据说有爱情的人都应胆小如鼠，心弱如芦苇。这些人，缺少热，缺少光，以为女子的心是只在衣饰虚荣上可以克服，就单在自己服饰事业上相竞争，且用这些事物在女子面前来炫耀。他们还会常常自夸，以为因教育或天赋，知道女子独多。其实无耻与愚蠢到这种近代男子，已是再也没有了。

她坐着，沉默着，想起男子种种的蠢处，想到有人站在她身旁时还不明白。咳嗽了。她抬头，见到来人了。一个同事。一个蠢人中的蠢人。一个教物理学从不曾把公式忘记却全不了解女人的汉子。

“怎么？密司忒林，一人来吗？”

“一个人来，想不到——”这汉子喑哑了，爱慕的情绪扼住他的喉咙，俨然在一种苦楚中全身发抖。

她心说，“干吗不说特意来相候?”她知道他想说，“请你让我陪你走一阵。”但她因为这人的懦和笨，有点轻视这巧遇了，把脸向别处说，“园子里今天人真不少。”

那汉子鹦鹉似的说，“今天人真不少。”

她不作声了，看汉子走不走去。

汉子不走，很可怜的无意味的转身去折花盆里天冬草的细芽，一个警察橐橐的响着皮靴走来，汉子手才赶忙缩回。女人笑着，汉子更显得异常窘迫，不知如何是好。

她想像的男子的事业，在目前证据下，把她心全冷了。沉默了一会，见男子还不走，就说，

“密司忒林，我们走走好不好?”

汉子很惨然的说：“好。”他先走。到后，他又后走。一切全不得体，都使她觉得无聊。这是谁的罪过呢?一些凡是女子所能给的方便，在她是已全给了他。一切鼓励，一切提示，……然而全无用处，这男子却是那样一个萎靡不振的东西。

女人因为男子是个毫无用处的男子，说话转到男性的勇敢方面来了。她半嘲弄半怜悯的问道：

“密司特林，你病了么?”

“……”

“天气到秋天，人是容易不爽快的。”

"……"

"这里过一阵人就少了。"

"……"

男子的默然无语，是显然取一种柔软的战略，取一种近于与女子眼泪同样的武器，要怜悯，要同情，要……她看得很分明，却一点不关心。

他们走了一会。男子虽到稍过一阵，拘束已渐渐失去，已近于一个男子的身分了，虽而那种不必说话时的聒絮，不自然的殷勤，无自我的服从，都使她看来难受。

她并不需要人在她面前投降。

她需要的是一个男子。望到目前的一个想起将来，她生气了。

她想试一试。把计画这样安排，说道：

"对不起，密司特林，我还有点事我要走了。"

"就回去吗？"

"不。"

"……？"

"在这里也无聊。"

汉子把眼望天想一想，无话可说，就又不作声了。

他应当向前。应当作一点比沉默还有用处的事。说是要走，那不行，非玩玩不可。再不然，走罢，我陪你去。再不然，无聊吗，到别处去，我有的是地方。能这样，成了。她期待那样一句强硬而无理的话，然而不曾出自男子的口中。连话也不敢撒野，别的还配说是男子吗？她觉得真只有走了，不再说什么，也不回头，也不向他道歉，走去了。男子心碎了。尊严失去了。楞着，望着这袅娜的后影。

他想着，头有点昏，失了理智的评衡，不能想。他追上去了。他奔着，跑着，绕过假山，越过栏干，女人正在前面松树下，他赶到女人身边去，像一个暴客，拦了路。他脸上变了颜色，全身发抖。她见到时也略微吃惊，知道他将有什么表示。

她故意镇定的望着他，意思像用眼睛说，“干吗，蠢东西？要做就做！”

男子也望着她。

男子颓然了。力量消失了。本来预备说话的口又被一些东西塞住，他只虚拟一个手式，像是要拥抱，像是说我多么爱你呀，然而回头飞跑了。

到这时，才真是个全然无可救药的过失！

她木然的立定在那地方，也似乎有点头昏。勉强微笑着，赶忙坐到一张长椅子。

她想：是谁错了？

天已将夜，树梢间风转大了些。

慢慢的才觉得有点冷。

她起身了。无目的各处走去，走到有荷花的地方，见一张长凳上，正坐着先前在温室所见到的那个军官，低头顾望残荷。她从后面绕过去，毫不犹豫，同那汉子坐在一条凳上了。

新时代女子，如何头脑冷静，能静中观察一切，是没有谁将这性情详细刻画到一种记录上面的。至于她，这时节却没有想到自己行为是在反抗还是在向堕落之路走去。

她与那军人，在极短时间居然成为熟人了，军官还是先前的沉默，虽然这种沉默，已显然转为对于女子的离奇行动上面的注意。……

“你告我是谁?”他这样问她，已是第三次。

“我就是我。你看，我的鼻子，我的眼睛，我的身上一切，都是我，并不是谁。”

“住处?”这也是第三次。

“你知道毫无用处。”第三次回答也如此。

“家?”他想知道的家是从家可以捉住一根可以前生活的线索。

“没有。”她告他没有，又说，“这不是预备作传的事。”

“做些什么?”

“你自己去猜想看看，把我位置到什么人方面，就是什么好了。我不反对你的瞎想。我不必告你我做些什么事情。你说我是什么，全在你。你说我是……”

“你这人很可爱，所以应当让多知道一点，并不是坏事。"

"你爱我，爱我的身体，傍在你身边你觉得快乐，这就够了。你知道我也不讨厌你。你要知道别的有什么用处。"

"你有点怪。"

"可是你还疑心我是个土娼，好像只有娼妇才会如此将就一个男子。"

他不说了，略感卤莽的从身后抱着她的身子。

她有一种放肆的想望。她是分分明明坐在这个军人的身边的。她恣肆的享受一切，大胆无畏的偎依。她所要的全已得到了。一切在先想来是心跳的事，此时已仿佛很平常的事情了。她想望那顶荒唐的一点，她愿意他像一个男子。

她知道那男子是个男子，有热情，且有一种君子品德，一个在航空署作教官的人物，她极满意于她的冒险。她让那男子吻着两只手却微笑着，记起那无用处的同事惶恐如猫的脸色。

人要走了。

"走吗？走那儿去？我们吃饭去！我们是好朋友了！……"

"不。不用吃饭。我要回家了。——"

"明天？"

"我仍然到这里来。"

“你不要谎我。”

“你以为我是靠说谎来图什么的女人么?”

“我在这里等候你，用我的心，点上火，让它燃……”

她嗤的笑了，“一个军人，也来做诗。女人是并不以男子会说好听的话为荣耀的。我高兴来就来了，不高兴，也——”

“这是你的自由。可是你知道，我很想同你要好一点。你是个顶可爱的人。你真……”

“你这话才是聪明人说的话。”她这样说却忖度，“可是你还以为我是个土娼，明天不用来了。”

他送她出了公园，且尊重她的意见，不跟她走。她向东在灯光下走过天安门。她仍然走。她觉得她做了一个梦，如今还是在梦中，所以不怕，不悔，不……

上了车。新秋的风吹到脸上，她笑了。

“世界上男子全是蠢东西。”

自　杀

被同事称为幸福人的刘习舜教授，下午三点左右，在××大学心理学班上讲完了“爱与惊讶”一课，记起与家中太太早先约好的话，便坐了自用车回家。到家时，太太正在小客厅里布置一切，把一束蓝色花枝安插到一个白建瓷瓶里去。见教授回来了，从窗下过身，赶忙跑出客厅招手。

“来，来，看我的花！”

教授跟教授太太进了客厅里，看太太插花。“美极了！”教授那么说着，一面赞赏花枝一面赞赏插花那个人。太太穿的是浅炒米黄袍子，配上披在两肩起大漩波的漆黑头发，净白的鹅蛋脸，两只纤秀的白手在那束蓝花中进出。面前蓝花却蓝得如一堆希奇火焰，那么光辉同时又那么静。这境界，这花同人，真是太美丽太美丽了。记起另一时一个北方朋友称赞太太的几句痴话，教授不由得不笑了。他觉得很幸福，一种真正值得旁人羡慕的幸福。

想说一句话，就说，“这不是毋忘我草吗？”太太似乎没听到，不作理会。

太太把花安排妥当时，看了教授一眼，很快乐的问道，“这花买要多少钱？你猜猜。”

“一块钱……”

“一块钱，总是一块两块钱，我告诉你，不多不少一毛六分钱。你瞧，在那瓶子里多美！”

“真的，美极了。”

太太把花插妥后，捧了花瓶搁在客厅南角隅一张紫檀条几上去。看看觉得不妥当，又移到窗台上去。于是坐在小黑沙发上，那么躺着，欣赏在米色窗纱前的蓝花，且望着花笑。

教授把美丽的太太一只美丽的手拖着，吻了一下，“宝贝，你真会布置。这客厅里太需要那么一点蓝色了。”受到这种赞美的太太，显得更活泼了一点，不作声，微笑着。

教授说，“这不像毋忘我草！”

太太笑着说，“谁说是毋忘我草？你这个也分别不出！我本想买一小盆毋忘我草，还不是时候，花不上市。那角上需要一点颜色。红的不成，要蓝的。应当平面铺开，不应当簇拥坟起。平面铺开才能和窗口调和，同瓶子相衬；你看，是不是？”

“就那么好极了。我只觉得那瓶子稍微高了一点。”

“哽哼，若是个宽口小盆，当然就更合式！”

听差的进来倒茶，把桌上残余花枝收拾出去。

“王五，有客来吗？”

听差王五一面收拾桌子一面说，“农学院周先生来电话，说南京什么赵老爷来了，先生要看他，过周先生家里可见着。”

太太说，“不是赵公愚吗？”

教授说，“怎么不是他？春天北方考察三省行政，还说就便要在天津同赵太太离婚。世界变了，五十岁的人也闹离婚。那知道太太不答应，赵老先生就向他女儿说，‘妈妈不离婚，我就自杀！’女儿气极了，向他说，‘好，爸爸你要自杀回南京去自杀，这件事我们管不着。你不要太太了，我要母亲。我明年北大毕了业，养母亲。’这样一来，赵老先生倒不再说自杀了。”

“这是道学家的革命！”

“一种流行传染病。（几个妙人的故事重新温习）赵老先生人老心不老，在南京那种新官僚里混，自然要那么革一次命。还有虞先生，据说太太什么都不坏，只是不承认他的天才，不佩服他，所以非离婚不可。到后居然就离婚了。有人问到他离婚真实原因是不是这件事，他就否认。人向他说：‘若用这种事作理由，未免太对不起那个夫人了。’他就作成很认真的神气说：‘社会那么不了解我，不原谅我，我要自杀!’害得那熟人老担心，深怕因这番谈话刺激了他出个人命案件。到如今，看看他还在做七言香艳诗赠老朋友某，音韵典故，十分讲究，照情形看大约一时已不会自杀了，才放下心！这种传染病过去一时在青年人方面极其厉害，如今青年人已经有了免疫性，不成问题，却转到中年人身上来了。病上了身也就见寒作热，发疯发狂。目前似乎还无方法可以医疗这种怪病。”

太太笑着说，“怎么没有方法?”

王五看看教授大皮包，记起日里一个快信来了，就向教授请示“有四封平信一个快信搁在北屋书房桌子上，要不要拿来。”王五取信去。

太太接续着先前那个问题谈下去，“你说的那种病，照我想来也容易治疗。你想想你自己从前是好人还是病人? 说不定小媛媛长到十八岁时，也会向你说，‘爸爸，你想自杀吗。我这儿有手枪。’”

教授聊作解嘲似的分辩说，“害过那种病的人就有了免疫性。再过十八年我若真的还会第二次害病，我们小媛媛一定当真把手枪递给我。有这样一个女儿，倒不好办!”

王五取信来时，刘妈正把小媛媛抱进客厅。小媛媛是两夫妇唯一的女儿，一家的宝贝，年纪还刚满周岁。照习惯小媛媛从王五手中抢了那个信，又亲手交给她爸爸。

教授接了信，拉着媛媛小手拍抚，逗她说，“媛媛，今天在公园里看不看见大白鹤？在水上飞呀！飞呀！”

小媛媛学着爸爸说，“飞，飞，爸爸飞。”

“爸爸飞，飞到什么地方去？爸爸一飞可不成！”

“飞，飞，爸爸飞。”

教授一面看信，一面同小女孩信口说着话。“爸爸飞到公园去，飞到天上去，”不禁笑将起来。忙把信递给太太，太太一看，原来是上海东方杂志社的编辑史先生写来的。来信要他写篇论文，题目恰好就是两人正说起的“人为什么要自杀”。教授说，“可惜我不会写小说，不然就用赵先生虞先生的故事，作一篇小说一定很有意思。”

教授太太把信还给教授后，从妈子手中抱过了小媛媛，很亲爱的吻着小媛媛的手掌，指着瓶中的蓝花，“宝宝，看，花呀！花呀！”

小媛媛在母亲怀中也低低的呼唤着，“花！花！妈妈花！飞，飞，爸爸飞。”

“妈妈花爸爸飞，小媛媛呢？”

小媛媛好像思索爸爸这两句话的意义，把两只大而秀美的眼睛盯着教授，“爸爸，爸爸，飞！”

廊下电话铃响了一阵，刘妈去接电话，知道是粕粕胡同王家王先生要老爷说话。教授接完电话，回返客厅时，脸上有点无可奈何的神气。教授太太猜想得到是什么事，“你们又要到公园开会去，是不是？”

“谁说不是。小嫒嫒，爸爸一会儿真的就要飞到公园去了！”

太太眼睛望着那蓝花，轻轻的说，“不飞，不成？”

“我也想不飞。可是，学校事不理不问，那里行？要我陪你到东城去买衣服料子，明天去好不好？——宝贝，你那眉毛真美……”说时教授瞅着太太轻轻的叹了一口气。他太幸福了。看到太太一双长眉，想起一句诗：“长眉入鬓愁”，什么愁？记不清楚了。

太太见教授有点儿谄媚神气，知道那是什么原因，便说，“你有事，你去作你的事。”

“我舍不得你。”

“有什么舍不得我？”

“我陪你去。刘妈，刘妈，……”他意思要打电话。

“得了。”

小嫒嫒说，“飞！飞！”

教授把怀中金表掏出一看，快到四点了。约会原定四点半，时间已不早，便站起身来预备过西屋浴室去洗手。

小嫒嫒又说，“爸爸，飞！飞！”

教授开玩笑似的向嫒嫒说，“是的，小嫒嫒，爸爸真要飞。”且举起两只手作成翅膀展开的姿势，逗引小媛媛。

太太不作声，抱了媛媛随同教授出了客厅，到院子中去看向日葵。“葵藿有心终向日，杨花无力转随风”。数数它的数目，八朵，九朵，十三朵。一个不吉利的数目。于是把旁枝一朵小小的也加上了，凑成十四。

……

雨后初晴，公园游人特别多。园中树枝恰如洗过一般新鲜，入目爽朗。教授在僻静地方茶座下，找着了同事王先生。随即又到了胡子戴先生，左先生，高个子宋先生。几人坐下来正讨论到学校下半年本系人事上的种种变动，忽然有个小女孩子声音喊“王伯伯，王伯伯。”女孩子年纪大约十一二岁，生长得长眉秀目，一条鼻子尤其美丽。到了王先生身边，就说，“王伯伯，怎么不到我姑娘家里去玩，谁得罪了您？……这是谁？”（她向着那个大胡子问）王先生便说，“这是戴伯伯。”女孩叫了一声戴伯伯。掉头来望着一个高个子，开口问，“这是谁？王伯伯。”王先生便说，“这是宋伯伯。”女孩照样又叫了一声宋伯伯。又指着另外一个胡子问是谁，说是“左伯伯”，也叫了一声左伯伯。

末了这女孩子瞅定了教授，看了又看，“这是谁？王伯伯。”

王先生说，“刘伯伯。”

“刘伯伯?”女孩子估量了教授一下,“刘叔叔,”那么轻轻的叫着。引得在座众人一皆笑将起来。

王先生说“嗨,大莲,怎么刘伯伯叫刘叔叔?你上次不是在《北洋画报》上见到一个美人,你说很欢喜她,样子像妈妈,剪下来贴在镜子上吗?那就是刘伯母!”

女孩子偏个小头觑着教授,“王伯伯,真的吗?”

王先生说,“怎么不是真的?你什么时候同我去刘伯伯家里,就可看看刘伯母。”

“是真的吗!”

“你去看看就知道了。”

“刘伯母家里有小宝宝吗?”

“有一个小宝宝,你还可以去看看他家小宝宝,同小宝宝玩!”

“好,赶明儿我就去。王伯伯,是真的吗?”

“你问刘伯伯!”

小女孩很害羞似的把小嘴唇咬着,露出一排细细的洁白牙齿,望了教授好一会,俨然从教授神气之间看出了一点秘密,忽然自解自语说道,“是真的!是真的!”

“同王伯伯到我家里来玩!”

“好。”把头点点,一只燕子似的飞去了。

小女孩子走后,王先生望着那小小背影作了一个喟然叹息的动作。左教授问王先生,“那孩子是谁家的小孩子?”

王先生半天不说话。

几人都为这小孩子迷惑了，接着皆说这小孩子眉眼异常，与一般女孩子不同。经王先生说明，方知道原来这小孩子就是六年前在上海极有名的姚李案中的遗孽。母亲原是个出名的美人，一个牙医的女儿，嫁给阔公子李××。结婚后两人情好异常，毫无芥蒂。不料结婚七年后，这女人忽然平白无故自杀了。自杀的原因既极暧昧，社会上皆以为必是男的另外有了钟情的女子，但这种揣测却毫无根据。男的此后生活且证明了个人的行为毫无瑕疵。于是另外又有了一种揣测，就是说女的爱了一个极其平凡的男子，或说是个有中表亲的中学生，或说是一个画家，这件事受各方面的牵制，女的因此自杀了。三年后男的抑郁无聊，跑到黄山又自杀了。男的遗书中证明了女的自杀秘密还是另外一件事。至于另外一件事是什么?男的遗书中却说等到女孩子二十岁同人订婚时可从一个文件中明白。两人死后剩下的遗孤，被一个姑母带过北京来住，她的姑父原来就是生物学家杨××。

……

教授回到家中，同太太把晚饭吃过后，谈闲天谈到日里在公园中见及的那个小女孩，且谈到小女孩母亲自杀的故事，以为很不可解。太太便说，“人类事情不可解的地方多得很，至于这种自杀，倒平平常常。”为什么觉得平平常常？教授却想不通。当时问太太，这平常指的是什么意思。太太只笑笑，不说下去。

到了晚上，教授个人在小书房中写《人为什么要自杀》那篇文章。翻了好些参考书，书中所讨论到的一切学理，所举证的一切事例，虽无一不备，可是思想一同日里几件人事接触，便不知道真理应搁在那一方面比较适合了。

教授想：一定的，有的自杀不可分类，置入经济困难恋爱失败，以及任何一类都不相宜。为了一种错觉，一种幻想，一种属于生理心理两方面骤然而来带传染性的（一本书中提出的一句话一个观念）病症，也会自杀。为了奢侈（倘若这人凭理性认为挥霍生命是最大奢侈），也会自杀。但自杀的原因，若为了生存困难，为了经营商业或恋爱失败，社会却认为那是避责任与痛苦，因怯于坚忍生存而想到死，是件犯罪的行为。值得奖励的自杀，必事到临头还头脑清明，毫无异态。必承认生命是属于自己的，同时自己又是个很认识生命，爱惜生命的人，为了死可以达到某一个高尚的理想，完成某一种美丽的企图，为了处置生命到一个美丽形式里去，一死正类乎伟大戏剧或故事所不可少的情节，因此从从容容照计划作去。这种自杀有的为求人类自由，文化进步，历史改造，也有的是为一己；为使一已生命达到一个高点，社会皆认为难能可贵。然而童养媳偷偷的在土灶边吞烟，与苏格拉底人在狱中喝那一杯毒药，前者的死与后者的死，真正有什么不同处？倘若某种人的死，为的是留给此后活人一个美或深的印象，我们对于许多这种死的印象，有时却不如许多人类愚蠢行为来得更深切。为了怕生而去死的人很多，这种人近于懦。为了想生于别人印象里而死的人也很多，这种人却近于贪。“贪生怕死”是一句骂人的话，世界上还有“贪生不怕死”的人，作出的事是道德还是不道德？……自杀也许还有人是在一种纯粹无所谓的情形下作的……无结论的思索。

教授只觉得自己心中有点儿乱，有点儿胡涂。看看钟已十二点过五分，面前一堆书，一片纸。灯光很温柔的抚着花梨木桌面，一些小虫在窗上或用脚轻轻的爬着，或用身体轻轻的撞着。一切那么静。一家人全入了睡乡，厨子，娘姨，小媛媛，皆已各自安静的躺在铺床上做梦了。教授把手中捏着那枝笔头按着心部，仿佛听一声枪响，“叭”完了。好像什么都完了。把身体向椅背一仰，笔放下了。自诉似的心中说着：“我不是个乐于自杀的人，我是个性情懦怯逃避责任的人。然而，如今我完了。幸福，远了。……什么是幸福？人人都说我有个好妻子，便是今天李家那悲剧渣滓小女孩子，也居然把她的相片从画报上剪下，时时那么注目忘情的对望着。有一个爱她的大学生，为得不到她也去自杀过一次。有人可以从她的美丽上感觉幸福，又有人从她美丽上感到不幸。为什么我同这个女子那么贴近，反而把她看得平平常常，从不惊讶？”

教授的小书房兼卧房，有一扇小小的黑门通过太太的卧房，这时节那扇小门，轻轻的被推开了。太太看看书房还有灯光，知道教授还未上床，把一只白手向里摇摇，且亲昵温柔说道：

“怎不睡觉？还作事吗？响了十二点，应当休息了。你听，响雷了！天亮以前会落雨的。你要茶吗？你写些什么？我来看看真成不成？”

教授不作声。在门边站着的太太于是又说：

“为什么老在桌边？那文章不作，不成吗？你要——”

“我什么都不要，宝贝。你睡去，我还有事情！”

“什么都不要，连我也不要了吗？”

“宝贝，我在作事！”

太太小孩子似的，在门边站了一会，却不要教授许可，破例走近教授的桌边来了。“你不要我我也来了。你一作事一读书就讨厌我，来看你就说是麻烦你。不公平！”

教授太太这时已换了一件白色软绸薄寝衣，头发散开编成两条辫子，脸臂皮肤，腻白莹洁如玉琢成的。长眉秀目，颊际微红薄媚，更觉得光艳照人。教授只是微笑。太太了解丈夫在构思一个问题，原谅了丈夫失疏忽体贴处，拍着教授的肩膀，偎在椅旁站了一忽后，得到丈夫一个吻后，就快乐的回到自己卧房去了。教授目望着那扇小门，叹了一口气，自言自语说："唉，人！"

教授随手在身边小书架上取了一本俄国人作的长篇小说，翻看到的一节，正描写一个男子想像到他所爱恋的农村女人，如何用白首巾包裹头发，脱了衣裳，预备上床。自己如何睡在那有香草味的新棉被里，辗转不眠。作者一枝生动的笔，竟把读者带入书里所写的境界中去，俨然承认作者所提示的情境方算的是爱。

一会儿雨落了，雷声也大起来了，小孩房中灯光明亮，教授知道是太太到小媛媛房中看察窗子，看察小媛媛被盖。平时这种事常常是两人同作，这时节他却不起身，仍然坐在桌边不动，而且继续想着白天见到的那个大莲。一个雷声过后接着撒了一阵雨点，院中席棚被雨点打得很响。通过太太卧房那扇小门又轻轻的推开了。

教授说，"宝贝，您怎么还不睡？"

"天上响雷，我有点怕，睡不着。"

"又不是小孩子，还怕雷！"

"落大雨了，你怎么还不睡？你不怕响雷，雷雨也不怕吗？"

"我不怕！"

"真的吗？你不管我，我就要落雨了！"彭的把那扇小门关上了。

一句诗："泪如春雨不曾晴。"这诗是两人日前同读过某近人集中的句子。教授憬然悟了一个问题，赶忙起身走过太太房中去。太太伏身在床上，业已泪光莹然了。教授用了许多方法把太太精神振起时，见太太脸上的容光，那么美丽，教授笑着说："宝贝，你真美！"

太太说："你刚才想到些什么问题，老舍不得离开书桌边？"

"我想到自杀问题。（他说时用平常说笑话的神气）你呢？"

太太说："我吗？我同你一样。"

"我不相信！我们不一样。"

"我觉得你不爱我了！"

"这就证明不一样了！我从不疑心到你不爱我。"

"你不疑心我，因为我爱你！"

教授觉得这样子说下去不成，要转变一个话题，"宝贝，我想起白天在公园见到那个小女孩子。再过十年这女孩子到了二十岁，独自发现她那个母亲的秘密时，那情形真……"

太太固持的重说道："你不爱我了。"

她心想：那小孩子二十岁你四十岁。

一个雷声，小嫒嫒被惊醒哭了，太太赶忙起身从另一个小门走过小孩小卧房去。

教授坐在床边不动，把左手中指按定自己心部，又仿佛听到什么地方“叭”的一声，于是伏身下去，吻着那个美丽太太的白枕头，许久许久。意思正像是答覆太太那句话，“我爱你！”他重新记起刚才看到那本小说那一节描写，仿佛有一点忧郁，不知从什么地方继续侵进生活中，想用力挪开它，可办不到。

图书在版编目（CIP）数据

新与旧/ 沈从文著. — 北京：中国国际广播出版社，2013.1

（良友文学丛书）

ISBN 978-7-5078-3529-8

Ⅰ.①新… Ⅱ.①沈… Ⅲ.①短篇小说－小说集－中国－当代 Ⅳ.①I247.7

中国版本图书馆CIP数据核字（2012）第265658号

新 与 旧

著　　者	沈从文
责任编辑	张娟平　杜春梅
版式设计	国广设计室
责任校对	徐秀英
出版发行	中国国际广播出版社（83139469　83139489[传真]）
社　　址	北京复兴门外大街2号（国家广电总局内） 邮编：100866
网　　址	www.chirp.com.cn
经　　销	新华书店
印　　刷	环球印刷（北京）有限公司
开　　本	620×920　1/16
字　　数	81千字
印　　张	11
版　　次	2013年1月 北京第一版
印　　次	2013年1月 第一次印刷
书　　号	ISBN 978-7-5078-3529-8/I·402
定　　价	36.00元

CRI 中国国际广播出版社

欢迎关注本社新浪官方微博

官方网站 www.chirp.cn

人文阅读与收藏·良友文学丛书

(1)	鲁　迅　编译	竖　琴
(2)	何家槐　著	暧　昧
(3)	巴　金　著	雨
(4)	鲁　迅　编译	一天的工作
(5)	张天翼　著	一　年
(6)	篷　子　著	剪影集
(7)	丁　玲　著	母　亲
(8)	老　舍　著	离　婚
(9)	施蛰存　著	善女人行品
(10)	沈从文　著	记丁玲
	沈从文　著	记丁玲续集
(11)	老　舍　著	赶　集
(12)	陈　铨　著	革命的前一幕
(13)	张天翼　著	移　行
(14)	郑振铎　著	欧行日记
(15)	靳　以　著	虫　蚀
(16)	茅　盾　著	话匣子
(17)	巴　金　著	电
(18)	侍　桁　著	参差集
(19)	丰子恺　著	车箱社会
(20)	凌叔华　著	小哥儿俩
(21)	沈起予　著	残　碑
(22)	巴　金　著	雾
(23)	周作人　著	苦竹杂记　（暂缺）